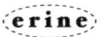

행복을 추구할 자유를 주는 나의 엄마 아빠에게

제가 그들의 이야기로 위로받은 것처럼 다른 누군가의 힘든 시간 곁에도 이 책이 있어주길 바랍니다. 옳고 그른 것은 없었어요. 나의 행복에 관심이 있느냐, 없느냐의 차이일 뿐 -

놓치고 있던 것들에 대한 관찰. 태초부터 모두에게 주어졌던 것들. 어떻게 하면 행복해지는가 하는 고찰이 아닌, 그저 사람 사는 이야기.

다른 이들의 행복을 모아 이 책을 만들었습니다. 각자의 소중한 깨달음과 저마다의 사랑스러운 경험을 공유해 준 모든 인연에 감사를 드리며 -

We all sustain ourselves in different ways.

지성 씀.

New York City
'19, 08

Balance

Everything needs to be in balance. Work, travel, home, and every relationship including my family. That balance is a little easier for me now, because my children are getting older and traveling by themselves.

Kelly

균형

모든 것은 균형이 맞아야 해요. 일, 여행, 집, 가족을 포함한 모든 관계들을 포함해서요. 이제는 제 아이들이 많이 자랐고, 다들 알아서 여행을 하고 있기 때문에 그 균형을 맞추기가 조금 더 쉬워졌어요.

Kelly

What makes you happy?

Nature

How wonderful it is ! The other day, there was this little duck in the state park in New Jersey. He came right up to me and all of a sudden, he seemed so spiritual and made me happy to just watch it. That is all. Waterfalls, sun lights, and greeneries.

The first time I've noticed that was a year ago, when I went to Scotland with my friend. We walked about 20 miles every day and got very tired every night. We didn't have much of fancy food or cozy beds, but at the end of the trip, I felt so happy. To me, it was like a spa vacation. I think it was because all the beautiful scenes, beautiful scents from every wild flower, and the beautiful weather and sky.

Nature is a great wellness.

Barbara Perry

자연

얼마나 아름다운가요 ! 하루는 뉴저지에 있는 공원에서 작은 오리 한 마리를 봤어요. 그 아이가 제게 다가오던 그때, 갑자기 전 그것이 너무도 영적으로 느껴졌고, 가만히 보고 있는 것만으로도 행복해짐을 느꼈죠. 그게 다라고 생각해요. 폭포, 햇빛, 그리고 초록들.

자연이 절 행복하게 만든다는 걸 알게 된 건 1년 전, 친구와 스코틀랜드에 갔을 때였어요. 우리는 매일같이 20마일씩 걸었고 밤이면 밤마다 피곤에 지쳤죠. 우리에겐 근사한 음식도, 푹신한 침대도 없었어요. 그렇지만 여행이 끝나갈 때쯤, 저는 매우 행복하다고 느꼈습니다. 제게 그 여행은, 매일 스파를 받는 것 같은 경험이었어요. 아마 그 행복은, 제가 이 두 눈으로 볼 수 있던 아름다운 것들과 들판에 피어있던 야생화로부터 맡을 수 있던 아름다운 향기들, 아름다운 날씨와 아름다운 하늘에서 왔다고 생각해요.

Nature is a great wellness.

Barbara Perry

What makes you happy?

Having a good conversation

At that moment, I can truly concentrate and get a lot of inspirations. Finding people that I have something in common with is really fun. Having someone to share your things is the easiest way to find out that you are a lucky person.

The only thing is, it's rare to find one. But at the same time, that's what makes them more special.

Cameron

건강한 대화

누군가와 건강한 대화를 하는 순간에는 그곳에 온전히 집중할 수 있고, 많은 영감을 얻을 수 있어요. 저와 공통점을 가진 사람들을 찾는 일은 아주 재미있죠. 나의 것을 함께 나눌 누군가를 찾는 것은, 당신이 운 좋은 사람이라는 걸 느낄 수 있는 가장 쉬운 방법이에요.

그런 사람 하나를 찾기가 어렵다는 게 문제지만, 그렇다는 점이 그것의 가치를 더 특별하고 소중하게 만들어줘요.

Cameron

What makes you happy?

Staying Alive

When I open my eyes and realize everything's okay, that makes me happy.

We are both in our 80s and we're both relatively healthy. Seeing the daylight, just being here in this beautiful park on a nice summer day .. we adore all these.

As you get older, you'd appreciate just being able to do the small things. We are still quite active for our age. I think this is all coming from our mind set.

Peter & Lois

살아있다는 것

눈을 뜨고 모든 것이 괜찮다는 것을 인지할 때, 그것이 날 행복하게 만들어요.

우리는 둘 다 이제 80대에 들어섰지만 다른 80대들보다 비교적 건강하죠. 낮의 햇빛을 보며 멋진 여름날 아름다운 공원에 그저 이렇게 나와 있다는 것. 우리는 그걸 즐길 줄 알아요.

나이가 들면 들수록, 당신은 작은 것들을 할 수 있다는 사실만으로도 감사하게 될 거예요. 우리는 우리 나이대보다 꽤나 활동적이거든요. 이건 다 감사할 줄 아는 마음에서 온다고 생각해요.

Peter & Lois

What makes you happy?

Art

Be near art. Whenever we want, we can just go to the library or museum and let books and paintings express ourselves.

Not only being expressed by art, but also expressing yourself is very important. I find myself happy when it gets out of myself.

You don't need to be shy about what you are good at.

Talo & Nancy

예술

예술과 가까이 지내세요. 우리는 원하면 언제든지 도서관이나 박물관에 갈 수 있고 또 스스로를 책과 그림으로 표현할 수 있죠.

표현되는 것뿐만 아니라 자신을 표현하는 것 자체는 아주 중요해요. 저는 그 영감들이 저를 벗어나 자유로워질 때 행복감을 느껴요.

당신이 잘하는 것에 대해 부끄러워할 필요가 전혀 없어요.

Talo & Nancy

What makes you happy ?

빠르게 흘러가는 적응의 보름

7월 31일 수

샌프란시스코에서 보낸 열흘 끝에 소미와 나는 드디어 옷들을 말끔하니 옷걸이에 걸 수 있었다. 얼마나 기다렸던 순간인가. 나의 22살을 보낼 뉴욕!

원래 자야 할 시간에 불편한 비행기를 타고 엘리베이터도 없는 4층까지 무거운 캐리어를 낑낑대며 올라와 그대로 울고 싶었지만, 집 바로 앞에 맛있는 일식집을 발견해 금세 기분이 좋아졌다.

8월 1일 목

미국은 땅덩어리가 너무 크다. 구글 맵 상으로 몇 블록 안돼 보이는 길도 항상 생각한 것보다 더 오래 걸어야 한다. 눈앞에 파이브 가이즈^{Five Guys}가 있길래 들어가서 먹고 그대로 소화나 시킬 겸 센트럴 파크엘 갔다. 지섬의 첫 센트럴 파크. 한참을 우거진 녹음 속에 앉아있다가 7시에 런드리 픽업 온다고 해, 얼른 장 봐가지고 들어왔다.

8월 2일 금

여러 뉴욕 배경의 영화들을 보고 와서 그랬는지 뉴욕에 대한 환상이 너무 컸다. 매일같이 모두가 화려하게 차려 입고 한 손에 아이스 아메리카노 한 잔씩을 들고 다닐 줄 알았는데. 생각보다 더럽고 시끄럽기만 하다.

뉴욕에 온 지 3일째. 퇴근길로 빼곡한 지하철에서 뉴욕 멋쟁이들을 많이 보게 되었고 그중 한 명을 처음으로 인터뷰했다. 하얀 원피스에 백팩을 메고 들어와 곧장 노트북을 꺼내 앉은, 양갈래 머리의 켈리.

지금 망설이면 앞으로도 계속 망설일 거고 그렇게 놓치면 앞으로도 계속 후회할 거라는 소미 말을 듣길 잘했다. 시작이 어렵지, 다음엔 더 잘 할 수 있을 것 같다.

8월 3일 토

아픈 소미를 집에 두고 혼자 브라이언트 파크 옆 공립 도서관엘 다녀왔다.
아무것도 모르고 갔지만 사람들에게 물어물어 <로마의 휴일>도 보고, 거기서
만난 할머니와 친해져 또 한참을 파크에 앉아 수다 떨고 헤어졌다.

주말인 줄도 잊어버리고 타임스퀘어에 갔다. 발 내딜 틈도 없이 복잡한 인파에
된통 혼쭐나고는, 매그놀리아 컵케이크와 푸딩을 사서 덤보 쪽으로 걸었다.
장엄하고 생각보다 더 예뻤던 덤보^{DUMBO}. 명소인 만큼 많은 사람들이 사진을
찍고 있었다. 소미랑 노을 질 때 피자 사 들고 다시 와야겠다. 집 오는 길에
저녁거리를 사 와, 영화 한편 보며 잠들었다. 혼자서도 뽈뽈뽈 잘 돌아다녔어.

8월 5일 월

넷플릭스에서 주는 팝콘과 산 펠레그리노 탄산수 하나씩 쥐고, 옹기종기
돗자리 나눠앉아 선셋 기다렸다 보는 브라이언트 파크 무비 나잇. 5시부터
잔디를 개장하니 피크닉 매트 챙겨 늦지 않게 가야 한다. 다 같이 손뼉 치고
깔깔대며 모든 게 완벽해, 뉴욕에서의 여름밤.

8월 7일 수

맑은 하늘에 우르르 쾅 쾅 쾅, 천둥번개가 쳤다. 곧 생리를 할 건지 자꾸만
단 게 땡기는데, 그중에서도 딱 매그놀리아 바나나 푸딩이 먹고 싶었다.
오늘은 메트로 카드 7일권이 딱 끝나는 날. 우리는 잠옷 바람 채로 나와
지하철에 몸을 싣고는 그대로 20분을 달려갔다. 열차 건너편 유리로 우리의
모습이 비쳐 보였다. 안경을 쓴 분홍색 리넨 원피스 옆, 머리를 높게 묶은
바나나 그림의 여름용 파자마 세트.

매그놀리아 베이커리$^{Magnolia\ Bakery}$는 커피와 푸딩, 컵케이크 줄이 따로 나눠져
있다. 살 것들을 다 받았으면 마지막으로 한 번 더 계산줄을 서야 한다.
지난번엔 앉을 자리도 없이 협소한 케이크 가게에서 얼렁뚱땅 정신없었지만
이번엔 바로 커피와 푸딩, 컵케이크, 그리고 마지막으로 계산줄까지 완벽하게

해냈다. 집으로 돌아가려는데 한바탕 비가 쏟아졌다. 우리는 라떼와 컵케이크와 가장 중요한 바나나 푸딩을 그 자리에서 해치울 수밖에 없었다. 음, 짐을 조금이라도 줄이고자.

단 걸 먹었더니 이번엔 비빔밥이 먹고 싶어졌다. 볶음 고추장만 있으면 계란 후라이 지져 쉽고 간편하게 언제든지 고향의 맛을 느낄 수 있을 것 같았다. 우리는 가까운 한인 마트를 찾아 들어갔다. 호르몬의 지배가 이렇다.

치킨 가라야게와 유부초밥, 떡볶이, 잔치국수와 골드 키위, 그리고 김과 반찬 두 개. 정작 볶음 고추장은 유리병이 너무 무거워 사지 않았다. 밖에는 여전히 천둥번개가 꽈과광 치고 있었다. 시끄러울 정도로 세차게 비가 내렸고, 뿌연 안개 틈으로는 맨해튼 높은 빌딩들의 형체만이 간신히 보였다. 소미와 우산 하나를 나눠 쓰고선 바쁜 퇴근 시간의 지하철을 타고 양손 가득히 귀가한 뒤, 오늘도 런드리 픽업을 불러 밀린 수건 빨래를 맡겼다. 왠지 모르게 드는 시원한 기분.

8월 10일 토

스무 개가 넘는 넓은 트레이더 조스 Trader Joe's 계산대에서 지난번과 똑같은 캐셔를 만났다. 분명 모두가 일사불란하게 빠지고 들어오는 계산대에 랜덤으로 배정되는 건데.

서로 이게 무슨 우연이냐며, 그동안 잘 지냈는지 안부를 묻고 다음번에도 우린 분명 또 만날 거라는 미국식 인사를 하고 헤어졌다. 물론 그것이 그녀와의 마지막 대화였다.

8월 11일 일

드디어 브루클린 브릿지에 다녀왔다. 일어나자마자 초록색의 아삭아삭함을 느끼고 싶어 아침으로 닭가슴살 샐러드를 만들어 먹었다.

걸어서 15분쯤 걷자 맨해튼 브릿지가 먼저 보였고 6시가 넘었는데도 낮 2시인 것 처럼 아직도 해가 쨍쨍했다. 건너편으로 넘어가자, 옆으로 지고 있는 햇빛을 받아 모든 것이 반사되어 눈이 부셨다. 중간중간 의자에도 앉았다가, 사진도 찍었다가.

주황빛 하늘은 어느색 분홍을 띄고 있었고 나는 눈을 찌푸려야 했지만 저 멀리 작게 자유의 여신상도 볼 수 있었다. 해가 완전히 지자, 하늘은 보라색이 되었다. 다리에도, 건물에도 하나 둘 불이 켜지고, 드디어 맨해튼 빌딩이 만들어낸 야경을 볼 수 있었다. 맨해튼 안에 있을 때에는 볼 수 없던 전체적인 모습을 브루클린 다리 위에서 바라보자 가슴이 쿵쾅댔다. 그 크기에 압도되어. 우리는 한 방향으로 양옆에 서서, 반짝이는 네모들을 오래 바라보았다.

드디어 소미가 집 앞 바, 타박 Bar Tabac엘 가주겠다고 했다. 열흘 내내 제발 같이 가달라고 애원했던 프렌치 바.

아직 도착하지도 않았는데 거리에서부터 기타와 통드럼 소리가 들려왔다. 더운 여름밤을 식혀주는 소리. 마침 밴드 앞자리가 비어있어 거기에 앉았다. 트러플 감자튀김 하나와 라 비 앙 로즈 하나, 그리고 소미를 위한 배 맛 나는 칵테일 하나를 시켰다. 작은 네모 테이블이 가득 찼다.

소미는 고작 한 입 마셔보고는 어지럽다며 콜라를 시켰다. 옆 테이블에 앉아있던 부부가 그런 우리의 모습을 사진과 동영상으로 찍어주었다. 무대에서 노래를 부르고 있던 할아버지가 손을 내밀어 앞에 자그마한 무대에도 나갔다가, 웨이터와도 춤을 췄다.

타박의 웨이터인 루크는 프랑스 사람이었는데, 내가 프랑스식 춤은 어떻게 추는 건지 모른다고 하자 어렵지 않다며 가르쳐주었다. 계속 잘한다고, 아름답다고 칭찬하며 틈만 나면 우리 테이블로 와 말을 걸었다. 다음 주 일요일이 소미 생일이라고 하자, 여기와 같은 사장이 하는 이스트 빌리지 쪽 재즈바에 가자고 주소를 적어줬다. 안 갈 거다.

옆 테이블 부부와 마저 이야기하며 스픽이지 바를 몇 군데 더 추천받았다.

얘기를 하던 도중, 그들은 내게 타박의 대표 메뉴라며 할라피뇨 칵테일을
한 잔 사줬다. 짭쪼롬하면서 매콤하기도 하고, 입술이 얼얼해지는 게 하여간
맛이 이상했다. 집으로 돌아와 씻고 자다가 모기를 죽였다.

모기 때문에 깬 우리는 그 오밤중에 라면까지 끓여 먹었다. 노래 좋은 바
하나 다녀왔다고 잠이 잘 온다.

8월 14일 수

하루가 시작부터 좋지 않다. 하늘까지 꾸물꾸물해 기분이 더 좋지 않아.
그래도 몸을 일으켜, 동기부여를 위해 미드 <섹스 앤 더 시티>를 보며
닭가슴살을 구웠다. 뭔가를 지글지글 구울 때 기분이 좋아지는 게 분명
나뿐만은 아닐거야.

아무래도 소미가 자고 있는 집에선 아무것도 안 될 것 같았다. 한국에서
가져온 깜장 슬리퍼를 신고 집 앞 카페로 나와 지난번에 인터뷰한 바바라
할머니의 음성 파일을 정리했다. 몇 년 전 친구와 함께 다녀온 스코틀랜드
여행에서 할머니는, 좋은 숙소에 묵었던 것도, 맛있는 음식을 먹었던 것도
아니었으며 매일을 20마일씩 걷는 통에 온몸이 아파 지쳐 누워야 했어도
정말 행복했다 말했다. 그곳엔 아름다운 자연이 있었기 때문이라고.

그 인터뷰를 정리하는 동안 왠지 모르게 내게도 좋은 기운이 전해졌다. 내
꿈도, 미래도, 심지어는 당장 보름 뒤에 옮겨야 할 다음 숙소마저 정해진 것은
아무것도 없는 데다 욕심만 많고 모든 게 다 불안하기만 해도, 나는 지금
어쨌든 뉴욕에 와 있으니까. 뭔가를 하고 싶다는 열정이 있다는 것만으로도
감사해졌다. 내가 만들고 있는 이 책이, 이렇게 다른 누군가의 힘든 시간 곁에
있어줬으면 하는 생각. 지치고 힘들 때 힘이 되어주는 것들.

New York Movie Recommendations
*** in order of my preference ***

1) How To Be Single (2016)
2) The Devil Wears Prada (2006)
3) Sex And The City (2008)
4) Friends (1994)
5) Breakfast At Tiffany's (1961)
6) Tramps (NETFLIX)
7) Marriage Story (2019)
8) Home Alone 2 (1991)
9) Scent Of A Woman (1992)
10) Frances Ha (2012)
11) Once Upon A Time In America (1984)
12) Leon (1994)
13) Spider-Man (2002)
14) Gossip Girl (2007)
15) Brooklyn (2016)
16) King Kong (2005)

New York Movie Recommendations
*** in order of release date ***

1) Breakfast At Tiffany's (1961)
2) Once Upon A Time In America (1984)
3) Home Alone 2 (1991)
4) Scent Of A Woman (1992)
5) Friends (1994)
6) Leon (1994)
7) Spider-Man (2002)
8) King Kong (2005)
9) The Devil Wears Prada (2006)
10) Gossip Girl (2007)
11) Sex And The City (2008)
12) Frances Ha (2012)
13) How To Be Single (2016)
14) Brooklyn (2016)
15) Marriage Story (2019)
16) Tramps (NETFLIX)

We all sustain ourselves in different ways

8월 15일

지금 지내고 있는 예쁜 브루클린 집은 8월 한 달만 계약이 되어있어, 9월부터는 지낼 곳을 새로 찾아야 한다. 오늘은 어젯밤 헤이코리안에 새로 올라온 집을 보러 다녀왔다. 911 메모리얼 근처, 피자집 옆 큰 철문으로 들어가 4층까지 빼곡한 계단을 올라간 뒤 5개의 방 중 정말 딱, 침대 하나와 책상 하나만 들어가 있던 집. 소미까지 2인은 힘들겠다고 집주인은 말했다.

처음에는 소미가 돌아갔으면 좋겠는 마음뿐이었지만, 요즘은 그것도 잘 모르겠다. 소미가 없으면 훨씬 더 자유로울 것 같으면서도 또 나 혼자 무슨 재미가 있겠나 싶고. 그렇다고 못할 건 또 뭐 있나 싶다가도, 얘가 옆에 있어 해낼 수 있던 게 아니었을까 하는 생각들이 계속해서 부딪힌다.

소미가 좋아하는 브라이언트 파크 쪽 블루보틀Blue Bottle에 들러 라떼 한 잔씩을 사 앉았다. 다시 또 생각이 많아졌다. 지난주에 종훈이와 다경이와 밥 먹고서

산 책을 읽으려 펼쳐봐도 도저히 한 장을 넘기기가 어려웠다. 나는 왜 여행에 와서까지 이렇게 고통받아야 하는 걸까? 왜 이 모든 상황을 즐기지 못하고 누구보다 힘들게 짊어지려고만 하는 걸까? 원래는 센트럴 파크로 요가 수업에 가려고 했지만 그냥 혼자 영화나 봐야겠다고 계획을 변경했다.

배가 아파 화장실에 다녀오던 소미가, 공원 풀밭에 요가 매트가 가득 깔려 있는 것을 봤단다. 가서 확인해보니 화요일과 목요일마다 하는 요가 클래스라고. 2주 내내 이 공원에 정말 매일같이 왔었는데 한 번도 이 시간대에는 온 적이 없어 몰랐다. 그냥 온 순서대로 원하는 자리에 앉으면 된다기에 그나마 깨끗한 매트를 꼼꼼하게 찾아 앉았다.

매트에 누워 눈을 감고 잔디 냄새를 가까이 맡았다. 들숨에 나는 이제, 날숨에 자연인이다. 빌딩 숲 사이에서 모두 한마음으로 옹기종기 매트를 밟고 땀을 흘렸다. 선생님이 해주는 말들이 다 너무 스윗해서였는지 정말 이상하게, 내 안에 자신감이 마구 솟았다.

어떤 모습으로 보이는지 신경 쓸 필요 없이, 우리는 지금 이 순간 나와 내 몸, 이 둘만 있는 것이라고. 잊어서는 안 될 가장 중요한 두 가지가 있다면 첫째, 호흡하고 있는지, 둘째, 미소를 띠고 있는지. 동작이 안된다고 실망할 필요가 전혀 없으며, 오늘 완벽함을 뽐내려 이 자리에 있는 것이 아니라 안 되는 것을 쌓아가려 이 땅을 밟고 있는 거라고.

8월 16일

한차례 장마가 시작될 금요일 밤.

눅눅한 공기를 헤짓고 집에 들어오자마자 따뜻한 물에 샤워를 했다. 머리는 대충 말리고선, 콤부차 한 잔 마시고 침대에 누워 에어컨을 20도에 맞췄다. 좋은 노래를 듣다가 집에 와서도 또 좋은 노래를 듣고 있자니, 몇 시간 만에 내 인생이 굉장히 만족스럽게 느껴졌다.

오늘은, 행복이 상대적이라는 말이 다른 사람과 나의 행복 간에 상대적인 개념으로 작용된다는 것보다, 오히려 나의 행복한 시간과 불행한 시간 사이에 적용된다는 생각이 들었다.

나는 항상 대부분의 상황에서 정말로 행복할 때, '나 지금 온전히 행복하다'고 인지할 수 있었다기보다, 상대적으로 덜 행복한, 혹은 불행한 일들이 일어나 그 모든 행복의 순간들이 끝나고 나서야 '그때 나 참 행복했던 거더라'는 것을 돌아볼 수 있었다. 지나고 나면 다 좋았던 순간들이 분명한데, 절대 그 순간 그게 바로 행복인 줄은 몰랐다. 계속해서 무언가에 쫓겨 더 나은 것을 좇았던 나.

미국에서 만난 사람들에게 행복이라는 개념이 본인에게 어떤 존재로 다가오는지에 대한 질문들을 해보며, 내게 다가온 행복들을 나열해보는 시간을 가졌다. 내가 사랑하는 강아지가 너무도 사랑스럽다는 점, 내가 사랑하는 가족이 나의 가족이라는 점. 내가 사랑하는 사람들이 너무나도 사랑할만한 사람들이 되어준다는 점, 내가 갖고 있는 모든 것이, 다 내가 사랑하는 모든 것이라는 점.

이 글을 다시 읽게 되는 날에는 이 순간 나 자신이 얼마나 행복한 사람인지 그때는 알고 있었구나, 할 수 있길 바란다. 틀어놓은 에어컨으로 방 공기는 시원하고, 몸을 덮은 이불 덕에 침대가 따뜻하다는 것까지 덧붙여서.

앗, 잠깐. 눕기 전에 냉장고에 콤부차 병 넣는 거 깜빡했다.

8월 18일

드디어 뉴욕에서 맞이하는 소미의 생일날.

역에서부터 집으로 걸어오다 보면 오른 편에 매일같이 여러 종류의 케이크와 파이들이 진열되어 있는 베이커리가 하나 있는데, 체 게바라 얼굴의 깃발이 날리고 있는 바 타박보다는 조금 더 집에서 가깝다. 전부터 소미는 거의 매일같이 그 앞에 멈춰 서 본인의 생일 케이크를 골랐다.

17일에서 18일로 넘어가기 30분 전, 우리는 더 많은 종류의 케이크와 파이들을 지나 안쪽 테라스에 자리를 잡았다. 12시가 땡 치자마자 꾸덕한 초코 케이크에 초를 불고 엄마 아빠와 영상통화하며 소미의 스무 번째 생일을 맞이했다.

아침에는 내가 소미보다 30분 정도 먼저 일어나 혼자서 열심히 팬케이크를 구웠다. 원했던 두툼한 미국식 팬케이크의 모습은 아니었지만 소미는 맛있게 먹어주었다. 둘 다 꼬까옷으로 갈아입고서 5번가에 있는 비비안 웨스트우드로 갔다. 이 또한, 뉴욕에 도착한 첫날부터 찜해뒀던 목걸이를 위해. 그때 있던 그 멋쟁이 직원이 여전히 밝은 미소로 우리를 맞아줬다.

"목걸이가 너만을 기다리고 있었나 봐 !"

멋쟁이 직원이 새 상품의 재고를 확인하러 다녀오는 길에 말했다. 지금 보고 있는 것이 이 모델의 딱 하나 남은 피스라며. 직원들과 다 같이 소미의 생일을 손뼉 치며 축하했다.

수염을 분홍색으로 염색한 또 다른 멋쟁이 직원이 목걸이를 포장해 주는 동안, 첫 번째 멋쟁이 직원이 오늘 계획에 대해 물었다. 나와 소미를 번갈아 쳐다볼 때마다 딸랑거리는 십자가 귀걸이가 예쁘다. 원래는 센트럴 파크에서 카약을 타려고 했지만 너무 더워 그냥 재즈바에 갈 거라고 했다. 멋쟁이 직원은 눈이 똥그래지며 어~~~ 썸~~~ 하고 대답했다. 그에 맞춰 더 크게 흔들리는 십자가 귀걸이. 그 대답을 듣고는 셋이서 꺄르르 웃었다. 영화

<라라랜드>의 모티브가 되었다던 버드 랜드Bird Land의 예약 시간은 8시 반. 시원한 것 좀 마시다, 매그놀리아 베이커리에서 귀여운 컵케이크 사가지고 걸어가면 딱 맞을 것 같은 시간이었다.

버드 랜드에 전화를 해, 동생이 생일이라 매그놀리아 컵케이크로 초를 불고 싶은데 그래도 되느냐고 물어봤다. 원래는 안되지만 공연 시작 전에 작게 축하하는 건 알겠다고 했다. 오예.

스타벅스에 들러 다크 초코 프라푸치노에 이것저것 추가해서 마시고 나오는 그 잠깐 새에 비가 내렸다. 우산이 없던 소미와 나는 비 오는 광경을 오도코니 지켜봤다. 빌딩 앞에 우산을 파는 사람이 있었다. 우리는 검정색 싸구려 우산을 나눠 쓰고선 천천히 걸어 (빨리 뛰면 원피스에 빗물 튀기니까) 크림색 컵케이크와 푸딩을 사고 (계산하면서 생일이라 말했더니 귀여운 숫자 초 두 개를 넣어줬다), 마저 걷다가 1달러 피자 푯말을 들고 있는 여자 직원에게 영업을 당해 고작 1달러면서 엄청 맛있던 피자도 먹었다.

이곳저곳 많이 기웃거렸는데도 예약 시간에 딱 맞게 도착했다. 환한 미소를 가지고 있던 입구 직원은 생일 축하한다며 우리를 제일 좋은 자리로 안내해 주었다. 공연하는 무대 바로 앞 딱 가운데 자리. 사진으로 볼 때부터 이 테이블 앉고 싶다고 생각했는데.

버드 랜드의 트레이드 마크인 파란색 네온사인과 무대 뒤편의 붉은색 커튼을 보자 기분이 차분해지며 입꼬리가 절로 올라갔다. 흰 식탁보가 말려져 있는 테이블도 마찬가지였지만, 무대 조금 옆 편에 있던 바 석에 혼자 앉아 조용히 칵테일 마시며 공연을 기다리는 사람들의 모습도 운치 있어 보였다. 나이가 지긋하신 할아버지가 흰 티에 청바지를 입고 버건디 색 의자에 앉아 까만 컨버스를 까딱까딱.

역시나 소미는 콜라, 나는 칵테일. 그리고 깔라마리 튀김을 시켰다. 웨이터들이 중간중간 테이블을 돌아다니며 즐거운지 확인하다 함께 생일을 축하해 줬다. 소미는 내게, 아주 생일이라고 광고를 하는 거냐 하더니만 아롱거리는 촛불을 불기 전, 원래 이런 말은 잘 안 하지만 조금 행복한 것 같기도 하면서 조금

고마운 것 같기도 하다 했다. 하여튼간.

어느덧 연주자들이 무대 위로 올라와 이것저것 불며 조율을 시작했다. 라틴 재즈라는 것이 뭔지 처음 들어봤는데, 어느새 내가 쿠바에 와 있는 경험을. 떡져있는 긴 머리의 피아니스트가 뒷모습으로 열심히 피아노를 치는 것이 섹시하다. 우리가 생일 노래를 부르는 걸 지켜보던 옆 테이블 부부가 티셔츠 굿즈 사러 간다길래 따라갔다가 또 지출을 해버렸다.

하루 종일 뉴욕 동네방네에 동생 생일이라 자랑하며 축하받고, 마무리로 좋은 재즈바에 가 좋은 노래까지 듣고 오니 집에 돌아오는 길마저 예쁘게 보였다. 아아 따뜻한 뉴욕.

8월 19일

하루에도 몇 번씩 우리 집에서 숨 쉬고 있을 강아지 보고 싶어 귀국을 계획하다가도, 복잡 복잡한 뉴욕에서 바쁘게 살며 여전히 생기 있는 사람들 속에서 나도 모르게 삶의 동기를 부여받는다.

뉴욕에 와서 느낀 좋은 점 중 하나는, 여기 사람들은 각자에게 주어진 여유를 최대한 놓치지 않으려 하고 있고, 또 그 여유를 최선을 다해 즐기고 있다는 점이다. 도심 속 빌딩 사이 곳곳에 자리 잡고 있는 공원들은 비단 여행객들만을 위한 것이 아니라, 그 빽빽한 빌딩 속 열심히 일하고 나온 사람들을 위한 것이었다. 여름, 밤 낮 할 것 없이 모두들 한가로이 나와 앉아 각자의 책 한 권씩 읽고 있는 모습이 참으로 보기 좋다. 당연하게 누리고 살아야 할 것들인데, 부끄러워하지 말아야겠습니다.

어느새 8월 중순, 브라이언트 파크에서.

8월 20일

집 열쇠를 잃어버렸다. 디파짓에서 까이면 되는 거니 너무 깊게 생각하지 말라던 엄마. 나는 그냥 이게 정말, 도대체 어디로 간 건 지가 궁금하다.

나는 분명 아침에 일어나 집을 나서는 길에 문을 잠갔다. 소미랑 브라이언트 파크로 요가를 다녀왔고, 그대로 공원에 앉아있다 앞에 있는 홀푸즈 마켓에 가서 간단하게 끼니를 해결했다. 뉴욕 공립 도서관[NYPL]에 5시간 정도 있으며 오늘 안에 해결해야 할 일들까지 말끔하게 잘 마무리했고, 화장실에 가서도 딱히 가방을 연 기억은 없다. 나는 <스파이더 맨>을 한 번 더 보러 갈 것이라 했더니 소미는 그냥 집으로 가겠다고 했고, 집 가는 방법을 대여섯 번 설명해준 뒤, 자, 그럼 열쇠 여기, 하며 어깨에 메고 있던 에코백을 열었다. 찰랑거리는 열쇠 꾸러미 대신 아무리 뒤적거려봐도 책과 연필, 그리고 부드러운 천소리 밖에 나지 않던 바로 그때 우리는 결국엔 열쇠를 잃어버렸다는 것을 알아챘다.

다행히 소미가 자기도 챙겨왔다며 가방에서 두 번째 열쇠를 꺼냈다. 원래는 내가 항상 열쇠를 들고 다녀 본인 것은 그냥 식탁에 있는 쇠 트레이에 놓고 나오지만 오늘은 자기도 모르게 챙겼다고. 언젠가 잃어버릴 줄은 알았는데 20일이나 버티다니 오히려 좋은 성적이라 깐족댔다. 너 그거 내 거지, 내가 아까 너한테 준 거잖아. 아니란다.

2년 전 엄마와 다녀온 이탈리아 여행에서, 호스트였던 미켈라에게 왜 편하게 비밀번호나 지문 키를 쓰지 않고 아직도 쇠 냄새 나는 열쇠를 쓰는 것인지 물었던 적이 있었다. 곱슬머리의 미켈라는 입을 옹 다물고 잠시 생각해보더니, 열쇠가 예쁘잖아! 하고 대답했다. 열쇠에서 이렇게 예쁜 소리까지 나는데 조금의 불편 정도는 감수할 수 있는 것 아니냐고. 엄마도 미켈라의 대답을 듣고는, 맞아, 로맨틱과 더러움은 비례하니까, 하며 덩달아 호홍 웃었다.

그래, 예쁜 것을 버텨내려면 나무 바닥에 우유도 흘려선 안되고 계단도 매일같이 오르내려야 한다. 매끈한 대리석보다는 낡은 라디오와 먼지가 수북이 쌓인 다락방이 더 로맨틱하고, 식탁 위에 정갈하게 놓인 접시들보다는 촛농도 좀 흘리고 영자신문도 살짝 구겨놔줘야 훨씬 더 로맨틱해진다.

로맨틱과 더러움은 비례, 로맨틱과 불편은 비례.

열쇠는 찾지 못했다.

We all sustain ourselves in different ways

8월 23일

뉴욕에서의 두 번째 집은 롱아일랜드 시티로 정했다. 엄마와 고순 씨가 결국엔 뉴욕으로 올 수 있게 되어 침대가 2개 있는 빨간 벽돌집으로 골랐다. 이제 남은 건 고순 씨의 광견병 항체가 검사 결과와 500g 다이어트. 우리 고순 씨 오면 집 앞 공원에서 아무 생각 없이 잔디 냄새와 함께 하늘 보며 누워있고, 하루 종일 옴뇸뇸 맛있는 것두 먹을 생각하니 벌써부터 잠이 안 온다.

오늘 밤에 230 루프탑 230 Fifth Rooftop에서 하와이안 파티가 있다는 연락을 받았다. 저녁 먹는 내내 갈지 말지 고민했다. 혼자 놀러나가는 건 한국에서도 해본 적 없는데. 소미는 만으로 21살이 되지 않아 입장도 할 수가 없(지만 애초부터 가고 싶어 하지도 않았)다. 에이, 재미없으면 그냥 어제 반 정도 보다 나온 영화나 마저 보러 가지 뭐. 소미는 내가 진심으로 행복하길 바란다며 침대 위에서 손을 흔들었다.

로비 층에 내려오자마자 앗, 안경을 빼먹은 것이 생각났다. 내가 좋아하는 레오나르도 디카프리오 얼굴은 제대로 봐야지. 4층 계단을 한 번 더 오르내렸다. 6시 반부터 시작한다는 파티에 딱 맞춰 가는 사람이 어딨겠냐며 일부러 더 천천히 걸었더니 예상보다 더 늦은 시각인 오후 9시쯤 도착하였다. 이상하게 역에서 내리자마자 심장이 두근두근, 더 크게 뛰었다. '없던 일로 하고 그냥 영화나 보러 갈까. 아냐, 여기까지 왔는데 그냥 돌아갈 순 없지.' 지도 한 번, 건물 한 번, 지도 한 번, 건물 한 번. 거의 다 와가는 것 같다 싶었을 때쯤, 근처 골목에서부터 북적이는 기운이 느껴졌다. 사람들이 어떤 빌딩 하나를 빙 - 감아가면서까지 줄을 길게 서 있었는데, 알고 보니 그 빌딩이 내가 들어가야 하는 그 빌딩이었다.

호스트에게 전화를 했다. 왜 이렇게 늦게 왔냐고, 금요일 9시에는 일단 빌딩 안으로 들어와야 자기 이름을 대는 것이 가능하다는 청천벽력을 선사 당했다. 대체 얼마나 대단한 루프탑이길래.

줄의 가장 마지막까지 내 눈으로 확인하고선, 끝에 서 있던 키가 큰 남자에게 이 루프탑의 정체에 대해 물어보았다. 그 남자는 여기 어딘지 모르냐며, 아마 뉴욕에서 가장 핫한 루프탑일 것이라는 대답을 했고, 자신의 이름을 마커스 Marcus라 소개했다.

서울처럼 뉴욕에서도 다들 금요일과 토요일에 놀러 나오나 보다. 마커스는, 친구들이 좀 늦을 거라고 해 먼저 들어가 있으려 한다고 했다. 루프탑으로 올라가면 엠파이어 스테이트 빌딩이 바로 보이는 곳이라 관광객에게도 엄청 유명하다고.

나는 별것 없을 때를 대비한 영화 계획을 세워왔다고 했다. 마커스는 그게 무슨 소리냐며, 올라가서 보는 뷰만으로도 별것 없을 수는 없다고 했다. 나는 잘 모르겠다고 했다. 마커스는 그러지 말고 자기와 올라가서 함께 놀자고 했다. 나는 전혀 예상도 못 했다는 듯한 표정을 지었다. 마커스는 금발에 짙은 초록색 눈을 가지고 있었다.

엄두도 나지 않던 긴 줄이, 마커스와 얘기하다 보니 금방이었다. 나는 제일 높은 층까지 올라가는 엘레베이터 안으로 들려오던 하와이안 파티의 쿵짝 소리에, 이 금발의 초록 눈동자를 만난 것이 천만다행이라는 생각을 했다. 금발의 초록 눈동자와 나는 번쩍거리던 디제이 부스를 뒤로 한 채 유리 계단을 하나 둘 밟고는, 재즈가 좋은 소리로 낮게 흐르고 있던 루프탑으로 올라갔다.

마지막 계단을 밟자마자 나는 꿈속에 와있었다. 늦은 여름밤이면 불어오는 선선한 바람에 맡을 수 있는 간질간질한 냄새가 났다. 길게 늘어뜨려진 꼬마전구들이 비추고 있는 사람들의 양 볼과 턱, 어깨와 손목. 내게 잠시만 기다리라던 마커스는 몇 분 뒤, 로제 칵테일과 샴페인 한 잔씩을 양손에 들고 돌아왔다. 정말 우리 바로 앞 정 중앙으로 커다랗고 뾰족한 엠파이어 스테이트 빌딩이 보였다. 나 이거 처음 보는 것 같아.. 여기저기서 유리잔과 웃음소리가 부딪혔다. 알맞은 타이밍에 내 앞에 나타나준 마커스.

"네가 내 앞에 나타나줘서 고맙지"

마커스가 씨익 웃으며 대답했다. 여름이었다.

8월 27일

스스로 몇 번이고 다독였던 생각들을, 바보 같고 뻔하지만서도 말로 내뱉고 또 소리로 들으니 신기하게 많이 나아진다. 말의 힘이란 게.

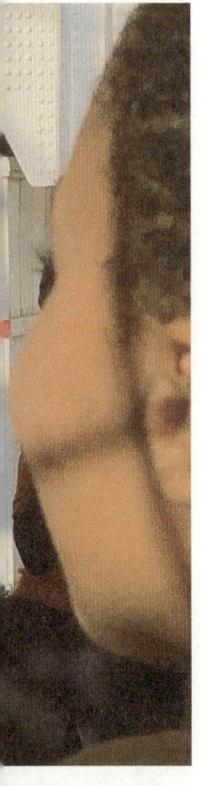

8월 30일

브라이언트 파크 옆 공립 도서관에 가 인터뷰 정리를 했다. 요 며칠 놀기만 하느라 성적이 생각보다 저조했지만, 또 차곡차곡 쌓여있는 글들을 보니 뿌듯하기도 하고.

원래 저녁 늦게쯤 마커스를 만나 제이크 질렌할 씨의 2인 극을 볼까 했었는데 하루 종일 실내에 있다보니 탁 트인 곳에서 야경이 보고 싶어졌다. 그리하여 우리는 30분 뒤, 유니언 스퀘어에서 만나기로.

가는 길에 조 앤 더 주스 Joe & The Juice에 들려 딸기 스무디를 사고, 쫑쫑쫑 산책 나온 강아지들을 구경했다. 중간중간 주인이 잘 따라오고 있는지 고개를 들어 확인하는 사랑스러움. 네 발을 가진 털복숭이들이 무조건적으로 인간을 사랑하는 방법은 정말로 치명적이다. 우리는 브루클린 브릿지 쪽으로 함께 이동했다. 날씨가 정말 좋았는데 해도 쨍해서 걷다 보니 슬슬 열이 올랐다. 선선한 그늘 찾아 드러누워 있다가, 시원한 음료 하나씩 사서 자리를 옮겨앉았다. 하루 종일 쉴 새 없이 얘기하는데도 할 얘기가 왜 이리 많은지. 무슨 얘기를 했는지 다시 돌아본다면 딱히 무어라 설명할 길은 없다.

브루클린 브릿지의 그 위를 건너만 봤지, 아래쪽 공원에 오는 건 처음이었다. 한 여자가 이쪽으로 카메라 렌즈를 향하고 있길래 우릴 찍어주는 줄 알고 포즈를 취했지만 알고 보니 우리 뒤의 풍경을 찍는 것이었다. 그 여자는 우리에게 비키라고 했다. 우린 민망함에 괜히 한 번 더 크게 웃어주고는 자리를 떴다.

나무 그늘 아래 알맞은 곳을 골라 그대로 주저앉았다. 아무 걱정 없이 말끔했던 내 머릿속. 다리를 뻗어 편한 인간 의자를 등에 기댄 채, 마저 지는 해를 바라봤다. 그 상태로의 모든 게 딱 좋았다. 아무도 우릴 신경 쓰지 않아.

"여기 예쁘지? 내가 항상 여자들 데려오는 곳이야."

눈이 번쩍. 마커스의 입꼬리와 눈썹이 씨익 올라간다.

"이게 네가 여자 꼬시는 루틴이라고? 그래, 우린 여기까지 하자."
"하하, 장난이야. 근데 잠깐만, 그러고 보니까 네가 여기 오자고 했잖아. 네 루틴이네!"

투닥거리며 걷다 보니 어느새 부두의 끝자락에 닿았다. 건너편으로는 이상한 디스코를 틀어놓은 스케이트장이 있었다. 우리는 그곳에서 조용히 물소리를 들었다.

서로 전생에 뭐였을까에 대한 추측을 해보는 시간을 가졌다. 나는 전생에 쉼도 없이 일한 노예였을 것 같다고 했다. 그래서 지금 생은 뭐랄까, 항상 운이 좋고 유유자적하게 흘러가는, 일종의 보상 같은 생이라고. 마커스는 자신이 여왕을 위한 기쁨조였을 거라고 했다. 여왕을 위한 노래를 만들어 그녀를 꼬시는 데에 성공했지만, 다른 여자에게도 만들어 준 것을 들켜 결국 죽임을 당했을 거라는. 그러게 왜 다른 여자한테 노래를 만들어 줘.

우리는 오늘 만나 아직까지 아무것도 먹지 않았음을 깨달았다. 취하지는 말자. 몇 블럭 걸어 들어간 멕시칸 펍에서 마신 고작 마가리타 한 잔씩에 둘 다 기분이 좋아졌고, 아직은 그래도 덥고 습한 여름인데도 취한 기운에 브루클린 골목골목을 쏘다녔다. 우리는 집 앞에서 인사를 하고 헤어졌다. 내겐 열쇠가 없었기에 소미가 내려와 온갖 생색이란 생색은 다 내며 문을 열어줬다. 나도 걔도 이번 주말에 이사를 한다. 각자 정리를 끝내면 일요일에 영화를 보기로 했다.

하루 종일 한 거라곤 걷기, 앉기, 노을 보기, 물소리 듣기, 술 마시기. 집에 돌아와 씻고 누우며 이렇게 행복해도 되는 건가, 소리 내어 말했다.

8월의 끝자락, 찰랑이는 물소리를 들으며 걸었던 부두. 빼곡하고 네모 반듯한 맨해튼의 야경이 내 왼편으로, 이토록 아무렇지도 않게 반짝이고 있었다.

New York City
'19, 09

Nonverbal communication

Being able to be in a presence of another human being and not being afraid of it. To get to know each other. When you are able to sit down next to another person and feel no need to fill the space with words because the energy is already so calm. Those are the most beautiful moments in this world.

I guess maybe I found this out with my first love. I was 18. It was like, there were two strangers that met in the street and they ended up just talking for 4 hours. After a while, I looked back and I could not even remember what it was all about. The only thing that I could remember was I liked that moment. At that moment, her energy towards me said, "I'm comfortable with you, stranger." I fell in love with her.

Christian

비언어적 소통

다른 사람의 현재에 존재할 수 있고 그걸 두려워하지 않는 것. 그 사람을 알기 위해서요: 타인의 옆에 앉아, 그 에너지가 이미 너무도 안정적이기 때문에 말로써 공간을 채워야 할 필요 없이 평화롭고 안락함을 느끼는 거예요. 이 세상에서 가장 아름다운 순간이죠.

아마 저는 이걸 제 첫사랑과 함께 알아냈나 봐요. 18살 때였는데, 길에서 만난 두 명의 이방인들이 결국엔 네 시간이나 떠들며 걸었어요. 지나서 생각해보면 무슨 얘기를 했는지도 기억 안 나요. 다만, 그저 그 순간이 정말 좋았다고 느꼈던 것은 분명해요. 그 순간에 느낀 그녀의 에너지는, 우린 서로를 모르지만, 함께 있는 게 편하다 말하고 있었어요. 그 여자에게 전 사랑에 빠졌습니다.

Christian

(에반텔의 요청으로 그의 친구들 중 한 명의 이름인 캠벨 수프 사진을 사용합니다)

Flaws

This sandwich is really good, by the way. We all just got together this morning, and we're gonna play board games right after this. Spending time like this is really relaxing and also casual. They are my people that I love.

Even though each of them have their own problems, that's okay. Sometimes they are very challenging too, but that's also what I love : their faults and their negatives. They each have their own issues. I can list all of them and I like to watch them. For example, Bem's problem is that he has too much love. I won't say more. We're trying to be positive, right ? Haha.

But mine was actually the sandwich to be honest.

Evantal

단점들

그나저나 이 샌드위치 진짜 맛있네요. 우리 다, 뭐, 그냥 오늘 아침에 갑작스럽게 모였는데, 이렇게 점심 먹고 나서는 보드게임하러 갈 거예요. 이 시간을 이렇게 내가 정말로 사랑하는 사람들과 함께 보내는 것은 참 즐거워요.

얘네 다 각자의 문제가 있긴 하지만, 괜찮아요. 가끔씩 정말로 힘들게 할 때가 있기는 한데, 그건 또 그 나름대로 제가 사랑하는 그들의 단점들이죠. 각자 나름대로 정말 멋진 문제들을 가지고 있어요. 다 말하라면 말할 수도 있어요. 근데, 저는 그 단점들과 함께하는 게 좋아요. 예를 들어서 얘 문제는, 항상 뭐든 너무 과하게 사랑한다는 점인데요, 하하, 여기까지만 할게요. 우리 지금 긍정적이자고 있잖아요^^ ?

근데 사실 제 대답은 그냥, 지금 이 샌드위치에요. 어우 맛있어.

Evantal

What makes you happy ?

Enjoying this moment

Spending time with people who I love, with good food, especially in New York, is what everybody wants. Humans feel the most happiness while they eat with whom they love. I've read it somewhere. It's not like we're stupid or obsessed with food, it's theory.

I don't want to sound corny, but I want to say that there is one easy way of enjoying our lives. Living this moment, not thinking about next thing, next step, or tomorrow.

Becky & Sam

지금 이 순간을 즐기는 것

내가 사랑하는 사람들과 맛있는 음식을 먹으며 시간을 보내는 것은 누구나 원하는 것이죠. 특히나 뉴욕에서는요. 어디에서 읽은 건데, 인류는 그럴 때 가장 행복감을 느낀대요. 무식하거나 먹기만 좋아해서 그런 게 아니라, 이론적으로도 맞는 말인 거죠.

정말 당연한 말이지만, 우리에게 주어진 삶을 온전히 즐길 수 있도록 해줄 하나의 방법이 있어요. 바로 다음에 해야 할 것이 무엇인지, 내일은 무슨 일이 일어날 건지 걱정하는 것이 아닌, 지금 이 순간을 사는 것이죠.

Becky & Sam

What makes you happy?

Pressure

I like the pressure. I perform better under pressure. That's why I wait until the last minute and finally do homework or pay the bill.

The hardest thing to do is carrying the burden of being a parent. It's just so hard to be in a gray area, being a strict parent, or just being a good friend. The other night, I was telling my son to go get ready for bed because he stayed up all night watching baseball. It was already 9 o' clock. And the minute I told him to go to bed, he got so upset. But you know what ? That was me. I also was in love with the TV, and I was very difficult as a child. Apple doesn't fall far from the tree.

Danny

무게

저는 부담감을 느끼는 걸 좋아해요. 부담감이 있어야만 더 잘하죠. 그래서 꼭 숙제를 데드라인 전에 마친다거나 통신회사에서 핸드폰을 끊기 전에 핸드폰비를 내나 봐요.

중압감을 수반하는 일 중 가장 어려운 건 바로 부모가 되는 것이죠. 엄한 부모가 되느냐, 친구 같은 부모가 되느냐. 항상 그 중간을 찾기가 참 어려워요. 며칠 전엔 7살짜리 아들이 밤늦게까지 야구 경기를 보고 있길래, 어서 자러 가라고 말했어요. 9시였거든요. 근데 글쎄, 제가 그렇게 말하자마자 녀석이 엄청 화를 내는 거예요. 근데 그 순간 제가 뭘 봤는지 아세요 ? 제 어릴 적 모습이요. 저도 부모님 말 되게 안 들었거든요. 티비 보는 거 재밌잖아요. 자식은 부모를 닮아요.

Danny

What makes you happy ?

To be lost in thought

Contemplation is a train of thoughts about something. It reduces my stress. Sometimes I imagine how things would have happened if I did something in another way. Or sometimes, I get prepared for the upcoming future.

When you are capable of enjoying the imagination, the world is your oyster !

Richard

산책하며 빠지는 사색

사색은 무엇인가를 생각하는 훈련이에요. 스트레스를 줄여주죠. 가끔 저는, 이걸 이렇게 했으면 어땠을까 하며 지난 일의 다른 버전에 대해 상상해보기도 하고, 다가올 미래를 준비해보기도 해요.

마음껏 상상하는 자유를 당신이 즐길 줄 안다면, 이 세상에 못할 게 없어요 !

Richard

9월 1일

주말 내내 이사를 했다. 롱아일랜드 시티에 위치한 빨간 벽돌집으로. 열흘 뒤면 약 2주간, 엄마와 고순 씨도 함께 지내다 갈 것이다. 방범대도, 지하철역도 바로 코앞에 있다. 7호선을 타고 한 정거장만 가면 그랜드 센트럴역, 두 정거장을 가면 브라이언트 파크가 나오는데 그런 것보다도, 버드나무 가지가 흐드러진 공원이 멀지 않은 곳에 있다는 게 가장 마음에 든다. 강물 너머 시끄러운 도시를, 아무것도 하지 않으며 바라보기에 딱 좋다.

깔끔한 소미 덕에 대청소도, 짐 정리도 순식간에 끝이 났다. 소미는 이렇게 모든 것이 제자리를 찾아 돌아갈 때 행복감을 느낀다고 한다. 나는 생각했다. 이런 사람하고 같이 살면 편해, 깨끗하게 살 수 있고.

저녁에는 마커스네 집에서 영화를 보기로 했다. 브루클린 브릿지에 다녀왔던 날 한 약속이었다. 느즈막히 일어나 바나나 무늬의 잠옷에서 회색 반바지로 갈아입고, 얼굴을 반 이상 덮는 금색 네모 안경까지 썼다. 집을 나서기 전에는 분홍색 유리병에 담겨있는 지미추 향수를 정수리에 한 번, 이쪽 손목에 한 번. 그리곤 발목에도 한 번, 겉옷에도 한 번, 마지막으로 이쪽 손목에 다시 한 번 더 칙칙.

역에서 내리자마자 중고 서적 테이블이 주르륵 서 있었다. 전부터 옛날 책들을 좀 사고 싶었는데, 윌리엄스버그에 오니 길바닥에 그냥 널브러져 5불에 팔리고 있었다. 중국풍 미국 엽서 책을 살지, 아니면 소울 애니멀 카드를 살지. 쉽게 결정할 수 없었다. 주인과 한 장 한 장 신중하게 넘겨보며 각자의 진가에 대해 듣다 결국엔 카드집으로 골랐다. 그러곤 몇 걸음 안 가 마트를 하나 발견했다. 싱그러운 화초들이 무성하게 자라고 있던 그 마트 안으로, 나는 맥주를 사러 들어갔다.

빼곡하게 정리되어 있는 맥주 코너에는 예쁘게 생긴 병들이 많이도 있었다. 이번에는 빨간 동그라미에 갈색 곰이 서 있는 맥주를 살지, 아니면 투명한 병에 들어 있는 연분홍 로제를 살지. 옆에서 나와 비슷한 고민을 하고 있던 유쾌한 기운의 남자가, 뭘 고르든지 간에 귀여운 게 장땡이란 결론을 내려주고는 위쪽에 있던 묶음 하나를 꺼내주었다. 하지만 정작 본인은 그 자리를 쉽게 떠나지 않았다. 나는 그에게 눈인사를 하고 귀여운 곰 맥주와 함께 마트를 나왔다.

길을 하나 건너자, 빈티지 소품을 팔고 있는 다른 탁자가 있었다. 그곳에도 멈춰 서, 1달러짜리 열쇠들을 샀다. 오래된 것들이 손에 들어오자 기분이 좋아졌다. 힙한 동네로 소문난 이곳 윌리엄스버그에서 가장 유명하다는 빈티지 편집샵, 비컨스 클로젯Beacon's Closet도 있길래 들어가 보고 싶었지만 손이 너무 무거워 포기했다.

아파트 아래에 도착해, 다 왔다는 사진을 찍어 보냈다. 옆으로 지는 해가 나무에 묻어 투명 반짝인다. 사실 이런 경험은 이제 기억에도 흐릿해 실제하는 일인지 아닌지도 확실치 않지만, 왠지 어릴 적 학교에서 돌아온 따뜻한 오후, 엄마가 지도까지 그려주며 부탁한 심부름을 다녀온 기분이었다. 쥐어주신 용돈으로 이곳저곳 기웃거리며 10분이면 다녀올 것을, 삥 돌아 많은 것을 보고 2시간이나 걸려 귀가한 것 같은 그런 기분.

느긋한 햇살을 광대뼈로 듬뿍 맞이하며 빨간 곰 맥주를 옆구리에 끼고 마커스가 내려오길 기다렸다. 이 동네도 살기 좋아보이네. 전봇대에 기대 건너편 나무로 시선을 옮기고 있을 때쯤 마커스가 도착했다. 빨간 곰 맥주를 건네받으며, 내게 귀여운 안경을 쓰고 왔다고 했다.

마커스도 주말 동안 이사를 했다. 거실과 방에 소파와 침대만 놓여진 텅 빈 집에서, 우리는 각자의 이사 스토리를 주고받으며 맥주 한 병씩을 마셨다. 냉장고를 열자, 알코올이 들어간 탄산수와 로제가 있었다.

거실 천장에 달려있던 스피커로 노래를 틀었다. 바닥에 주저앉아 오는 길에 산 소울 애니멀 카드를 꺼내 자랑을 했다. 각자 하나씩 뽑아봤는데 나는 꿀벌이, 마커스는 사자가 나왔다. 통유리 너머로 지는 해를 바라보다, 집 앞에서 치킨을 사와 영화 <파이트 클럽>을 봤다.

9월 2일

유니언 스퀘어 쪽에 위치한 페리 댄스 클래스Peridance Capezio Center에서 마일스의 재즈 펑크 수업을 듣고 왔다. 원래는 아프로비트Afrobeat를 배우러 가려고 알아봤던 수업이었는데 갑작스레 취소가 되어 화르르 타오르던 열정에 김이 팍 샜다. 어제 이사도 했고, 그냥 집에서 쉬어도 괜찮을 것 같았지만 아냐! 벌떡 일어나 준비를 하고 집을 나섰다.

원데이 클래스는 홈페이지에 나와있는 시간표대로 보고 수업 10분 전에만 도착하면 된다. 오늘이 페리 댄스를 처음 접하는 날이었던 나는, 그것보다 5분 정도 더 일찍 가서 등록을 했다. 페리 댄스는 한 달 안에 두 번째 수업을 들으러 오면 50% 할인을 해주는 쿠폰과, 10회권을 끊으면 1회를 추가로 들을 수 있는 쿠폰을 주고 그중 하나를 선택할 수 있다.

링 귀걸이에 호피 레깅스를 입은 초등학생 두 명과 무용 가방을 들고 온 키가 큰 친구들 모두 머리를 바짝 올려 묶고는 함께 수업을 들었다. 오랜만에 더운 햇빛 때문이 아니라 직접 몸을 움직여 땀을 내니 기분이 상쾌했다.

9월 6일
이 세상에 존재하는 서로 다른 삼각형

버드나무 가지처럼 흐물흐물한 것을 보고 있자면, 어느새 나른하고 졸려워진다. 가장 편한 차림으로 얼굴엔 선크림을 덕지덕지 바른 채 한쪽 팔엔 오트밀 색의 에코백, 나머지 한쪽 팔엔 얼그레이가 담겨진 차가운 은색 텀블러. 한 10여 분 정도 터덜터덜 걷다 보면 나무로 만들어진, 책 읽기에 딱 알맞은 벤치에 도착한다. 그 벤치에 꼬리뼈부터 머리까지 기대어 모든 것을 맡긴 채 늘어져 앉아있다 보면 그곳에서 많은 걸 듣고, 또 많을 걸 볼 수가 있다.

강물이 부두에 닿아 만들어 내는 물소리, 이른 아침도 아니면서 쉴 새 없이 지저귀고 있는 새소리. 옆 벤치에 앉아있는 사람이 불규칙적으로 넘겨대는 책 소리, 후후하하 조깅하며 빠르게 지나가는 사람들의 발소리. 잔뜩 신이 나 입을 헤 벌리고선 이리저리 킁킁대며 주인을 따라가는 강아지의 숨소리와 반대편 공원에서 오빠가 친 장난에 뿌엥하고 울어버리는 꼬마의 울음소리까지. 눈을 감으면 돌자갈이 발에 밟혀 만들어 내는 소리가 좋게 들린다.

흰 천과 바람만 있으면 어디든 갈 수 있다고 했는데. 미국의 심리학자 로버트 스텐버그는 사랑의 구성 요소와 다양한 형태를 삼각형 모양으로 설명하며 '사랑의 삼각형 이론 Triangular Theory of Love'을 만들어냈다. 그가 주장하는 3요소는 친밀감과 열정, 그리고 헌신이다. 나만의 3요소를 이름 지어보는 시간을 가졌다. 촛불과 산들바람, 그리고 흐르는 강물. 나의 3요소는 촛불과 산들바람과 흐르는 강물이다. 없던 사랑도 만들어질 것이다. 좋아하는 사람과 손을 잡고 물가를 걷다 보면 내가 이 사람을 좋아하는 건지, 아니면 그냥 이 완벽한 요소들을 좋아하는 건지. 그렇다면 난 이것들 때문에 이 사람을 좋아하게 된 건지, 그것도 아니라면 이 모든 것이 지금 내가 이 사람을 좋아한다고 착각하게끔 만들고 있는 건지. 혼란스럽다. 사랑이 이렇게 거대한 거였다면.

맨해튼의 오른쪽에 위치한 롱아일랜드 시티에 앉아있으면 도심처럼 시도 때도 없이 울려오는 사이렌 소리도, 지나가다 아무 영문도 모른 채 뒤집어써야만 하는 이상한 냄새도 없이 그냥 이렇게, 강 너머로 시티뷰를 볼 수 있어 좋다. 유니콘 뿔을 쓴 여자아이와 친구들이 줄줄이 손을 잡고 지나가는 것도.

힘 없이, 바람이 하자는 대로 움직이는 버드나무 같은 기분으로 쓴 글.

Name Your Own Triangular Theory of Love

We all sustain ourselves in different ways

*

*

*

9월 8일

따뜻한 햇볕이 내리쬐던 여름의 끝자락에, 소미와 드디어 소호에 왔다. 관광객이라면 빼놓지 않고 온다는 쇼핑거리라 들었지만 우리는 뉴욕에 온 지 한 달이 되도록 올 계획이 없었다.

전부터 가고 싶던 리틀 이탈리에 위치한 맥넬리 잭슨 북스McNally Jackson Books에 왔다. 소설 코너에서 가벼운 책 하나를 훑는 동안 소미는, 구석에서 책 읽고 있는 주인을 기다리는 강아지와 인사를 하느라 여념이 없다. 아는 노래가 나왔다. 영화 <청춘스케치>에 나와 찾아보고는 플레이리스트에 넣어뒀던 90년대 곡.

종이 냄새 가득한 곳에서.

Music Recommendations
best especially when you want to feel like in old movies

1) Grant Green (Feat. Charles Bradley) - Mr Jukes
2) Can't Hardly Stand It - Charlie Feathers
3) Love My Way - The Psychedelic Furs
4) My Sharona - The Knack
5) Road of Love - Muscle Shoals, Keb 'Mo'
6) Take My Breath Away - Berlin
7) Tired of Being Alone - The Subdudes
8) 80s Weight Loss Workout - Various Artists
9) Young Man's Love - Marcus King
10) Daddy Issues - The Neighborhood

9월 9일

엄마와 고순 씨가 왔다! 보고 싶어 정말로 숨이 안 쉬어지던 밤들을 하루 만에 보상받으려니 마냥 벅차기만 하다. 소미와 내가 JFK공항으로 가는 동안, 그 둘은 도착 예정 시간보다 조금 더 빨리 나와 우리를 입국장에서 기다리고 있었고, 14시간의 비행도 야무지게 잘 해낸 우리 아가는 이미 공항 밖 잔디밭에 응가와 쉬야를 모두 한번씩 끝낸 뒤, 얌얌이까지 먹고 있었다.

갈색도 아니고 회색도 아닌 곱슬이가 입국장 저 멀리 카트 위에 앉아있는 것이 희미하게 보였다. 우리는 소리를 지르며 달려가 뒤집어지는 환영 인사를 했다. 약 두 달 만에 보는 우리 콩이. 짐을 풀고 전부터 봐 뒀던 집 앞의 작은 이탈리안 레스토랑 테라스에 앉았다.

식전 빵 냄새를 맡더니 한 조각 달라고 했다. 너 이거 먹으면 안돼. 주문한 샐러드와 라자냐, 그리고 샌드위치와 파스타가 나왔다. 고순 씨가 샌드위치 안에 들어있는 터키를 반 정도 먹었다. 소미 건데..

9월, 더운 공기가 많이 옅어져 선선한 바람이 부는 때에 잘 맞춰왔다. 오늘부터 딱 열흘 동안 우리 집 여자 넷이서 함께 할 뉴욕. 장시간의 비행과 시차 때문에 온몸이 아프다는 엄마를 위해 점심을 먹고 집에 들어가며 간단하게 물과 아이스크림을 샀다. 다시 집으로 돌아와서는 한국에 있는 아빠와 잘 도착했단 영상 통화를 한 뒤, 넓은 침대 두개를 붙여 다같이 뽀송뽀송한 이불 속에 얼굴을 파묻었다.

따뜻한 고순 씨 아래에서 차가운 콧김 팡팡 맞으며 부드러운 곱슬 털 쓰다듬다 보니 나도 모르는 새 잠에 들었다.

9월 13일

오늘도 역시나 거의 기절한 듯 자다, Rough Trade NYC로 노래 들으러 다녀왔다. 지난달에 소미와 가서 엘피 몇 개 샀던 곳인데, 갑자기 생각나 홈페이지에 들어가 봤다가 앨리슨 수돌의 공연이 있다는 걸 알게 되었다. <신비한 동물사전>에서 마음을 읽을 수 있던 동생 역할의 배우가, 알고 보니 싱어송라이터였다는 사실.

앨리슨 수돌 전에는 다른 밴드가 오프닝 공연을 했다. 긴 머리에 진회색 헐렁한 티를 입은 남자 보컬이 갈색 통기타를 메고 있었고, 양옆에는 같은 스타일의, 머리 색만 다른 일렉 기타리스트와 슈트를 입고 머리를 위로 묶은 여자 바이올리니스트가 있었다. 앉을 자리도 따로 마련되어 있지 않은 공연장에, 사람들은 각자 한 잔씩을 들고 서서 음악을 들었다. 한켠에는 음악에 몸을 맡긴 채 미친 듯이 흔들어 제끼는 사람들, 또 다른 한켠에는 털썩 바닥에 주저앉아 고개만 까닥이는 사람들. 또 다른 모양의 로맨틱이었다. 이스트 빌리지에서 기타 치며 노래하는 커플 만난 날이 뉴욕에서 보낸 가장 로맨틱한 밤이었다고 생각했는데 오늘로 한 번 더 업데이트. 사랑 노래의 가사와 사랑 노래의 멜로디가 나올 땐 서로를 껴안고 노래를 들었다. 중간중간 고개를 들어 말랑말랑한 시선을 맞추었고 올라가는 입꼬리, 흔들흔들, 또 다른 모양의 로맨틱.

한 시간 정도의 오프닝 공연이 끝나고 본 공연 무대를 준비하는 동안에 마커스와 나는 잠시 공연장을 나와 시디 플레이어에 각자 헤드셋 끼고 춤을 췄다. 좋아하는 트랙 찾으면 서로 들려주다가, 또 본인 헤드셋 도로 가져가서 자기 것 마저 듣다가. 그래도 아직 시간이 남아 바람을 쐬러 밖을 걸었는데, 뭘 먹을 시간은 안 될 것 같아 그 근처 공원으로 물소리를 들으러 갔다.

강물에 비쳐 일렁이는 윌리엄스버그 브릿지의 불빛을 보며 한참을 앉아 있었다. 뒤늦게 정신을 차렸다. 이러다가 본공연은 못 보고 끝나는 거 아니냐며 헐레벌떡 다시 공연장으로 돌아왔다. 다행히 딱 알맞은 타이밍이었다. 괜히 뛰었어.

앨리슨 수돌의 에너지는 그 작은 몸에서 나온다고 하기엔 믿을 수 없을 정도였다. 머리가 어떻게 되던, 옷이 어떻게 되던, 땀이 나고 눈물이 나던 말던 신경도 쓰지 않고 소리 지르며 북도 쳤다. 자신이 겪은 힘든 시절에 대해 진솔하게 얘기하면서 치던 피아노 곡은, 노래 자체로도 참 좋았지만 관중과 함께 호흡을 하고 있다는 것을 온 공연장 그득히로 느낄 수 있었다. 밴드 한 명이 생일이라 다 같이 무대에서 케이크도 불고, 앵콜 곡으론 마지막 드럼을 거의 부수듯이 때리며 마무리했다. 예쁘게만 보여야 하는 모습 따위는 하나도 신경 쓰지 않고, 그 순간 모든 걸 즐기며 최선을 다해 자신을 분출하는 모습이 정말 멋있었다.

우리가 공연한 것도 아니면서 배가 고파 뭐라도 먹어야할 것 같았다. 마침 공연장 근처에 내가 좋아하는 치킨 앤 와플집이 있었다. 이 집은 옛날 팝송을 크게 틀어줘서 좋다. 스윗 칙스 Sweet Chicks.

보름달과 함께 바람 솔솔 불어오는 창가 쪽에 앉아 음식이 나올 동안 공연에 대한 이야기를 마저 이어나갔다. 오늘 본 공연이 뉴욕에서 몇 번째로 보는 공연이냐고 묻길래 첫 번째라고 했더니, 자기도 그냥 본인만 믿으라는 사람 때문에 아무 정보도 없이 무작정 왔다가 너무 좋았던 공연은 이게 처음이라며 장단을 맞춰줬다(소미 생일날 버드랜드 가서 본 재즈 공연이 첫 번째였다는 건 집에 가는 길에야 알았다). 시킨 이것저것들이 나오고, Boyz to Men의 Stay가 흘러나왔다. 나는 엄마와 고순 씨가 놀러 와 이번 한 주간 뭘 했는지, 또 다음 주 계획은 뭔지 쫑알쫑알 얘기했다.

날씨가 너무 좋아서였는지 공연도 보고 산책도 하고 배도 채웠으면서 아직도 헤어지기가 아쉬워, 옆에 있던 맥캐런 파크에 앉았다. 공연의 여파로 아직도 상기되어 있는 마음을, 우리 위에 떠 있던 특이한 모양의 구름을 보며 가라앉혔다.

9월 16일

지난주에 다녀온 공연이 너무 좋았다고 말하다 엄마도 같이 가보자,가 됐다.

우리는 낮 동안 각자의 시간을 보내다 공연 시작 한 시간 전쯤 윌리엄스 버그에서 만나기로 했다. 그런데 하필이면 오늘따라 기분이 영 좋지 않다. 대자연이 날 지배하러 조만간 찾아올 것 같다. 엄마보다 조금 더 일찍 도착해 근처를 먼저 걸었다. 지도를 보니 가까운 곳에 공원이 있고 그 공원 끝에 물이 있었다. 코트에서 배드민턴 치고 있는 아빠와 아들도 지나고, 딱딱한 농구공 튕기며 초록색 바닥에 운동화가 긁히는 소리를 내고 있는 농구부도 지났다. 물 건너, 저 멀리 보이는 크라이슬러 빌딩의 꼭대기가 눈에 들어왔다. 그렇게 많지도, 적지도 않은 사람들이 바위에 걸터앉아 나처럼 오도코니 물소리를 듣고 있었다. 오늘따라 그냥 갑자기 다 막막하고 답답하다.

오프닝 공연이 너무 헤비메탈이라 기분이 더 안 좋아졌다. 잔잔한 기타 소리를 듣고 싶었는데 시끄럽게 깨부수는 걸 보니 더 피곤해지는 것 같아. 우리는 잠시 나와 맥주 한 잔씩을 마셨다. 마커스와 한 것처럼 엄마와도 엘피 가게 안 헤드셋으로 노래도 좀 듣고, 앉아서 이런저런 책 펼쳐보며 시간을 좀 때웠다.

본 공연은 훨씬 더 좋았다. 사실 음악으로 따지자면 오프닝과 별다른 점은 없었는데, 도저히 못 참겠다, 우리 그냥 집에 가면 안 돼? 라고 말하려 엄마 쪽으로 고개를 돌렸을 때 마주한 엄마가 나의 모든 것을 바꿔놓았다. 내 옆에서 초롱초롱한 눈으로 무대를 보며 활짝 웃고 있던 엄마의 모습. 하마터면 내가 엄마의 흥까지 망칠 뻔했다. 우리 엄마가 웃으면 주변에 꽃이 핀다. 즐거워하는 엄마를 보니 덩달아 기분이 좋아졌다. 결국은 둘이 함께 어깨 들썩이며 끝까지 보고 나왔다.

생각을 바꾼 순간부터 갑자기 연주하는 노래들이 참 좋게 들렸다. 엄마는, 동양인처럼 보이는 여자가 무대 오른 편에서 무표정으로 바이올린을 켜는 것이 멋져 보인다고 했다. 우리 앞에 박자 딱딱 맞춰가며 방방 뛰어대는 회색 반팔 입은 남자도 귀엽다고 했고, 우리 오른쪽으로 꼭 껴안고 있던 커플들을 보면서도 귀엽다고 했다. 그 둘 다 하나도 귀엽지는 않았지만, 나는 엄마의 말뜻을 이해하였다.

무대 조명을 양 어깨로 받고 있는 뮤지션들을 보며, 이럴 때 내가 뉴욕에 있다는 것을 인지하면 뭔가 벅차오른다고 했더니 나를 꼬옥 안아줬다. 엄마가 안아주자 눈물이 났다. 아까 짜증 내서 미안해, 라고 말하려다 말았다.

9월 19일

이제 정말 쌀쌀해졌다.

어느새 엄마와 소미와 고순 씨의 뉴욕 마지막 날이다.

여자들끼리 시끌시끌하게 하루 종일 놀다 들어오면 너무 피곤해 바로 씻고는 베개를 베자마자 숙면했고, 그러느라 다이어리를 소홀하게 대했다.

첫째 날엔 낮잠 자고 일어나 우리가 좋아하는 갠트리 플라자 파크에서 예쁘게 지는 노을을 봤고, 둘째 날엔 우리가 자주 가던 브라이언트 파크에서 블루 보틀 라떼 한 잔씩을 했다. 소미와 내가 한 달 정도 먼저 와 있으면서 좋았던 곳은 다 한 번씩 더 갔다. 꿈과 희망이 가득한 코니 아일랜드Coney Island도 가서 넷이 귀여운 사진도 남겼고, 셋째 날엔 베이글 포장해 센트럴 파크 가서 피크닉 하다 엄마가 그토록 꿈꾸던 브루클린 브릿지를. 넷째 날엔 고순 씨와 소미를 집에서 푹 쉬게 하고선 우리끼리 BHLDN 웨딩드레스 피팅도 하러 갔다가, 소호에서 쇼핑도 하고 친구에게 추천받은 파스타집도 다녀왔다.

9살쯤 미국으로 이민 갔던 초등학교 동창 종훈이네가 뉴저지에 있어 엄마는 꽃 한 다발 사들고 오랜 친구 만나러도 다녀오셨고, 두 분이서 거의 10년 넘게 쌓인 수다를 하루 종일도 다 풀지 못해 며칠 뒤, 맨해튼에서 한 번 더 만나 미술관 데이트도 하셨다. 후에 종훈이와 나는, 엄마들끼리 너무 귀여운 거 아니냐며..

주말 장이 서는 스모가스버그도 다녀왔다. 고순 씨와 나만 단둘이 남겨져 윌리엄스버그 빈티지 쇼핑을 한 날도 있었고, 그날로 인해 고순 씨가 꽤 좋은 쇼핑 메이트라는 것도 알게 되었다. 가게에 들어갈 때에도 굉장히 당당했으며 안과 밖은 확실하게 구분하는 태도, 타인이나 타견에게 부담스럽지 않은 적정거리를 유지할 줄 앎과 그중에서도 가장 중요한, 여러 번의 환복을 다 참고 기다려주는 자세까지 -

고순 씨는 산책도 참 많이 했다. 보트도 같이 탈 수 있었으면 더 좋았을 텐데. 전부터 타고 싶던 센트럴 파크에서의 보트를 타러 아침부터 꽃단장을 하고 갔지만 강아지는 탈 수 없다고 해, 엄마하고 건너편에 앉아 우리를 응원해 주었다.

보트는 예상보다 소미가 노를 참 잘 저었다. 똑순이라고 칭찬하며 제대로 부려먹고, 나는 부잣집 아가씨처럼 뒤로 앉아 해를 즐겼다. 역시, 할 줄 모르는 게 최고다.

항상 식당 어딜 가나 우리는 테라스 자리에 앉았다. 한집에 사는 여자 넷이서 이야깃거리가 끊이질 않다 보니 미국에서도 여자인 친구 하나 만들고 싶단 생각이 들었다. 여자들끼리 쇼핑하러 다니면서 맛집 공유에 연애 얘기, 뭐 이런 사소한 것들이 다 소중한 거였구나. 여행은 그러라고 가는 건가 보다. 사느라 우리 곁에 있어주는 것들을 굽어볼 여유가 없었을 테니, 집을 떠나와서는 여유롭게 다 살펴보라고.

집에 돌아가 짐을 마저 챙기려고 지도를 열었는데, 찾아봐두었던 앤틱 가구샵이 바로 옆에 있음을 발견했다. 엄마는 이곳에서 예쁜 와인잔 세트를 샀다. 엄마가 산 게 우리가 쓰는 거지. 다 같이 기분 좋아져 마저 걷던 길에서 이번엔, 사람들이 엄청나게 줄 서 있던 베이커리를 하나 발견했다. 알고 보니 뉴욕에서 꼭 먹어야 하는 Levain Bakery, 유명한 곳이었다. 엄마가 잡지에서 본 적 있다던 빵집에서, 우리는 건포도 쿠키와 다크초코 쿠키, 그리고 레몬 파운드 세 개를 골랐다. 남아있는 12불의 현금을 왠지 다 써버리고 싶었는데 딱 11.25불이 나왔다!

맛있는 빵들을 옆구리에 끼고, 엄마가 마지막으로 한 번 더 가고 싶다던 갠트리 파크엘 왔다. 딱 선셋 타임에 도착해 예쁜 노을을 배경으로 (2주간) 늘 그래왔듯 예쁜 사진을 찍었다. 어둑어둑해진 뒤에야 이미 많은 정리가 되어 허전하게 느껴지는 집으로 들어왔다. 계획된 우연들이 겹쳐 괜히 더 기분 좋았던 엄마와 소미와 콩이의 뉴욕 마지막 날.

Things to do with mom and dog in NYC

1) Watch sunset every night at Gantry Plaza Park.

2) Drink latte from Blue Bottle in Bryant Park.

3) Shop groceries at Whole Foods Market for mom-made cuisine.

4) Have a bagel at Central Park while my dog chases after pigeons and squirrels.

5) Cross Brooklyn Bridge.

6) Try on a wedding dress for mom and dad's 25th anniversary.

7) Go on a mom-and-daughter date to SoHo while Sophie and Kong take a nap.

8) Smorgasburg on Sunday.

9) Vintage digging at Williamsburg with Kong—my best shopping-mate.

10) Visit Coney Island where all hopes and dreams come true.

11) Go on a date with mom to Rough Trade NYC, drink a bottle of beer, dance and laugh. My bestie.

12) Brunch at Sarabeth's.

13) Step aside for mom's photoshoot from random strangers, just cuz she's the most gorgeous of us three.

14) Crossing 34th St. and 7th Ave. for 10 times, only to take one Manhattan mood photo for mom's Instagram.

15) Be abandoned at Central Park with my dog while mom and Sophie admire Manhattan's amazing skyline. Pets are not allowed at Rockefeller Center.

16) BCD Tofu House in K-Town.

17) Rent a rowboat from Loeb Boathouse—bucket list for me and my dog. Turns out, pets are not allowed. Again.

18) Run into Levain, the super popular bakery which Google didn't tell me beforehand.

We all sustain ourselves in different ways

We all sustain ourselves in different ways

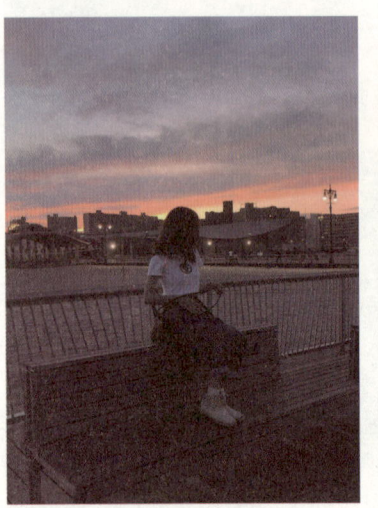

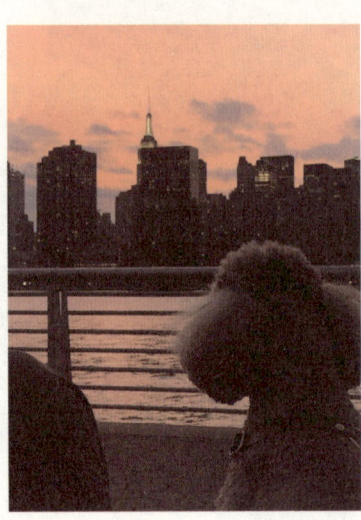

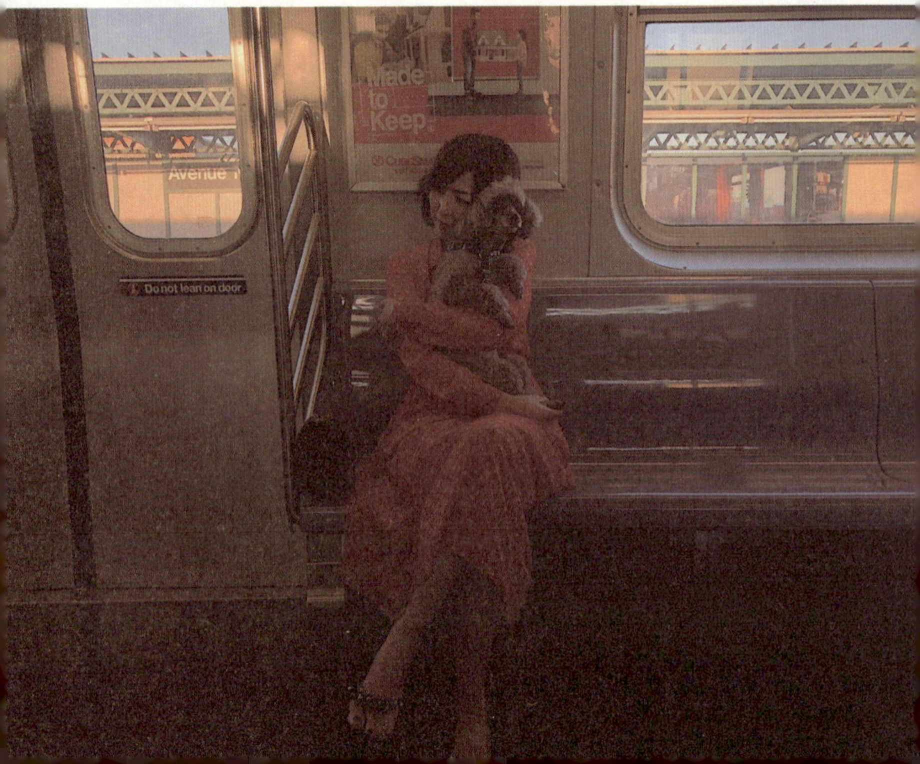
Made
to
Keep.
Avenue
Do not lean on door

New York City
'19, 10

Kids

We have 5 boys. Watching kids growing up makes us happy.

When I see them unhappy, I realize how precious their goodness and well-being were.

Todd & Paige

아이들

우리는 5명의 아이가 있어요. 그 아이들이 자라는 걸 볼 때 행복해요.

그 아이들이 행복하지 않을 때, 저는 그들의 안위와 건강이 얼마나 귀중했던가 하고 깨달아요.

Todd & Paige

What makes you happy?

Communication from different languages

One benefit of a person who is fluent in foreign language is that they can see a bigger world than others who aren't.

As you know, speaking a foreign language can give you a whole different experience. You can relate to what foreigners are saying, and you can express what you want while traveling. But you know what the biggest shot is ? You can understand movies without subtitles. There are these expressions that can't be translated, right ? It's never the same !

James

다양한 언어가 주는 소통

외국어를 능숙하게 할 줄 아는 사람은, 그렇지 못한 사람들보다 더 넓은 세상을 볼 수 있어요.

알다시피, 당신이 다른 언어를 구사할 줄 알면 전혀 다른 경험을 하게 될 거예요. 여행하며 만나게 되는 외국인들이 무슨 말을 하는지 공감할 수 있게 되고, 원하는 것이 있으면 자신 있게 요구할 수도 있죠. 근데 그것보다 더 대단한 게 뭔지 아세요? 바로 자막 없이도 영화를 볼 수 있다는 거예요. 번역으로는 담기지 않는 표현들이 있잖아요. 그 언어 그대로 이해한 것과는 절대 같을 수 없죠.

James

What makes you happy ?

Flower

I have two boys playing in the park right now and they are wild. They take a lot from me. I love them, so of course I'm willing to give them everything, but I have very few things for myself. These flowers are one of them. The shop across this street is amazing.

We are so focused on working and achieving. We can get swept - up in our busyness. There are so many excuses ! We don't have the money now, we don't have the time .. blah blah blah. And I know it takes a lot of effort. I don't live so close from here so sometimes, I fall for telling myself, "Flowers for tomorrow, sleep for today."

I'm an architect so I'm very visual. So my projects take so long. But flowers .. it's so immediate. I knew this makes me happy when I was young in my 20s. Somehow I always found a way to spend 20 ~ 40 dollars on flowers.

Thank you for chasing me and not being one of my sons !

Mimi

일주일에 한 번씩 꽃을 사요

제게는 지금 공원에서 놀고 있는 아주 거친 남자아이 두 명이 있어요. 신경 쓸 일이 한두 가지가 아니죠. 저는 그 아이들을 사랑해요. 그 아이들을 위해서라면 뭐든 줄 수 있지만 저를 위해 할 수 있는 건 많이 없어요. 하지만 이 꽃들은 그중 하나죠.

우리는 너무 일하고 성취하는 것에만 집중하고 있어요. 바쁨 속에 휩쓸리기 쉽죠. 변명할 거리는 아주 많아요 ! 나는 지금 돈이 없어, 시간도 없어.. 저도 알아요, 행복해지는 게 큰 노력을 필요로 하는 것만 같다는 거. 저 여기서 그렇게 가까이 살지 않아요. 매주 일요일, 조금만 더 잘래 하며 미루기에 딱 좋죠.

저는 건축가에요. 시각적인 걸 좋아하죠. 근데 건축 프로젝트들은 너무 오래 걸려요. 하지만 꽃들은 참 즉각적이에요. 저는 이걸 20대 초반쯤 알게 되었어요. 어떻게든 꽃에 40달러는 쓰려고 했답니다. 호호

저를 쫓아와줘서 고마워요, 하마터면 우리 애들인 줄 알았네 !

Mimi

What makes you happy ?

Stepping up, Stepping forward

The difference between happy and unhappy people is that happy people know what makes them happy and they just do it.

Continuously doing something is not easy because your life changes. But don't worry, you'll find yourself capable of doing it. You'll find things that really mean something to you and it might not happen as frequently, but you'll eventually find one.

Keep right and you'll keep things moving.

Peter

앞으로 나아가는 힘

행복한 사람과 그렇지 않은 사람들의 차이점이 있다면, 행복한 사람들은 무엇이 그들을 행복하게 만드는지 알고 그걸 한다는 점이에요.

뭔가를 꾸준히 하는 것도 참 쉬운 일은 아니죠. 우리 인생은 계속해서 변하니까요. 근데 너무 걱정하지 마요. 본인도 할 수 있다는 걸 알게 될 거예요. 그게 그렇게 자주 할 수 있는 것이 아니더라도, 본인에게 굉장히 의미 있는 무언갈 찾을 거예요.

Keep right and you'll keep things moving.

Peter

What makes you happy?

Using my imagination and creative abilities to make these cocktails

I just finished my first recipe book. Creating your own cocktail is like creating your own habit.

I was surprised when you said you were from Seoul, because the cocktail that I'm trying to make now is with Korean liquor, soju. How do you say this ? (Chum Churum)

Cool. I like how it sounds.

Garvey

칵테일을 만들기 위해 나의 상상력과 창의적인 능력을 이용하는 것

나도 막 얼마 전에 내 첫 레시피 책을 완성했어. 너만의 칵테일을 만드는 건 너만의 취미 하나를 만드는 것과 같아.

네가 서울에서 왔다고 해서 놀랐는데, 왜냐면 내가 지금 만들고 있는 칵테일이 소주로 만든 칵테일이거든! 이거 어떻게 읽는 거야? (처음처럼)

와, 멋있는 이름이다.

Garvey

9월 26일

The SeaWall / A Life 제이크 질렌할 씨의 2인 극. 한 시간씩 이어지는 두 개의 1인극으로, 각 극마다 주인공이 자신의 이야기를 관객에게 들려주는 방식이었다. 질렌할 씨 특유의 눈을 크게 뜨고 호흡도 크게 크게 하며 비트를 쪼개 열정적으로 대사를 내뱉는 연기를 실제로 볼 수 있어서 참 좋았다. 다 계산되어 있는 에너지였겠지만 모든 것을 끌어올려 최선 다해 말하는 질렌할 씨의 연기. 한 아버지와 아내와 아이에 대한 내용이었고 중간중간 대화하는 부분은 모사를 하며 빠르게 빠르게 실제 대화하듯이 진행되었는데, 각자의 특징들이 너무도 확실하고 재미있어 다같이 손뼉 치며 웃었다.

마지막은 감동적이기까지 했다. 50분 내내 깔깔대며 웃던 나는 그 마지막 5분 만에 주륵 눈물을 흘려버렸다. 내용이 슬픈 것도, 질렌할 씨가 대사를 절절하게 치는 것도 아니었는데도. 일에서 돌아와 무지 피곤한 상태였던 질렌할 씨는 아기에게 안약을 줘야 하는 걸 라벤더 오일을 줘버렸고 그 때문에 아내와 다 같이 응급실에 갔다고 한다. 아기를 의사 선생님에게 들여보내고 난 그 복잡시러운 난장판 속에서도 질렌할 씨는 어느 순간 갑자기 아내의 이름이 부르고 싶어졌고, 둘은 눈을 마주쳤고, 그 순간 아내에게 키스해 줘야겠다는 생각이 들었고, 결국엔 사랑한다 말해버렸단다. 무언가 묵직한 게 가슴에 닿으면서 찡 - 하고 눈물이 났다. 저 진실성은 어디에서 오는 거지 정말.. 휴우.. 마지막 대사까지 내뱉고선 두 시간 내내 무대 위에 올라와 있던 피아노를 치며 극을 마무리했다. 그 피아노 연주를 들으며 나는 도르륵 한 번 더 눈물을 흘렸다. 한국에서는 이제 다 재미가 없어졌다는 핑계로 연기를 홀대했었는데 뉴욕에서 이렇게 좋은 공연들을 보자, 다시 열정이 마구 솟았다.

9월 28일

아침에 맥캐런 파크에서 인터뷰 하나를 마치고 요가 수업도 다녀온 뒤, 집에 와서 저녁을 먹고 있을 때 리지^{Nalyse}에게서 드랙 퀸 쇼에 가자는 연락이 왔다. 여장남자 쇼! 나 그런 거 한 번도 안 가봤는데. 리지는 내가 종종 가던 윌리엄스버그의 벰베^{Bembe}에서 바텐딩을 하는 친구다. 처음 갔을 때부터 잘 챙겨주더니, 본인이 여는 홈 파티에 날 초대해 주며 더욱 친해졌다. 우리는 11시, 파라마운트 호텔 앞에서 만났다. 호텔 앞에는 누가 보아도 공연을 앞둔 사람 둘이 밖에 나와 있었는데, 그 둘 다 얼굴에 잔털 하나 없이 말끔했다.

입장해서는 리지와 테킬라 한 잔하며 넓은 스테이지를 누볐다. 분장한 사람들이 플래시 세례를 받으며 사진을 찍히고 있었다. 그들은 보통 사람에게서도 나오기 힘들 정도의 자신감으로 당당하게 포징을 하고 있었다. 편견과 규제에 맞서 그만큼 자기 자신을 사랑하고 있음이 가득. 리지와 난, 여러대의 카메라 렌즈 앞에서 아마 평생 다시는 볼 수 없을 사진들을 찍히며 더 열심히 미소 지었다. 요즘 턱 주변에 난 뾰루지 때문에 자꾸 신경이 쓰였는데, 그곳에 있던 사람들은 내가 한국인이라고 아직 말하지 않았음에도 뷰티풀 코리안 스킨을 가지고 있다며 나더러 K-beauty를 하는 것이냐 물었다. 아니 나는 그냥 한국 사람이야. 내가 불평하는 무언가가 남에게는 탐이 나는 것임을 알게 되었고, 그러자 내가 불평하던 일은 없던 일이 되었다.

보여주고 싶은 각자의 무대를 최선을 다해 분출해내는 이들의 모습에 절로 환호와 박수가 나왔다. 영화 <라라랜드>의 대사가 생각나는 밤이다.

"People love what other people are passionate about"

9월 29일

숙취로 또 후회를 하며 무겁게 일어났다. 어제 리지와 술을 꽤 많이 마셨나 보다. 자제할 줄 모르던 나의 잘못이었는데도, 일어나자마자 기분이 팍 안 좋았다. 누구 탓할 사람도 없다는 게 더 짜증 났다. 그냥 그런 때 있잖아, 나를 비롯한 우주 만물 모든 게 다 마음에 안 드는 때. 집으로 돌아가 가족들 품에 있고 싶어졌다. 서울에 있는 령은이에게 전화를 했다. 나 너무 힘들어 엉엉. 령은이에게 질렌할 씨 연극 본 자랑도 하고, 드랙 퀸 쇼 다녀온 경험도 들려주었다. 박수까지 치며 짝짝짝, 세 시간의 전화 끝에 드디어 생기를 되찾았다. 우울의 끝에 나를 항상 제자리로 돌려놔 주는 나의 영원한 세컨드, 령은이. 각자 남자친구 다음으로 사랑하자며 서로를 세컨드라 부른다. 맞아, 나 지금 뉴욕에 있으면서 뭐를 이리 힘들어하는 거지? 근데, 다 알면서도 왜 이렇게 힘들지?

문을 열고 환기를 시키면서 베개와 빨래들을 햇볕에 내놓고 말렸다. 침구를 햇볕에 바짝 말리면 베개와 이불에서 햇볕 냄새가 나는데, 그게 사람을 기분 좋게 만든다. 서울로 돌아가기 전 날 낮에 엄마가 알려주고 갔다. 종종 맑은 공기와 뜨거운 햇빛을 찾아가야 한다고.

자취 음식의 첫 시작은 간장 계란밥이 아닌가. 처음으로 냄비밥을 시도해봤는데 한 번에 성공했다! 물론 밥이 퍼석퍼석한 게 맛은 없었다. 화재를 일으키지 않고, 딱딱했던 쌀을 하아얀 밥으로 만들었다는 점에서 성공이다. 후식으로는 엄마가 사놓고는 손 한 번 대지 않던 하겐다즈 딸기 아이스크림을 먹었다. 블루투스 스피커로 재즈를 틀고, 탁자에 다리를 올리고 앉은 채 햇볕에 마르고 있는 빨래들을 바라봤다. 이 집, 처음에는 집주인과 문제가 조금 있어 불만 투성이었는데, 화해한 뒤로는 그 사람이 호스팅 하는 파티들도 초대받고, 미드 타운도 한 정거장이면 가는 데다가 주변이 조용하고 치안까지 완벽했다. 4층까지 계단으로 올라가야 했던 8월 집과는 달리, 1층이라 아무런 거리낌 없이 집엘 들러 그저 짐만 두고 다시 나가기도 편했고. 이게 다 로맨틱한 재즈와 열심히 이불을 말리고 있는 햇빛 때문이야.

마커스에게 이따 볼링 치러 가자는 연락이 왔다. 약속 시간 전까지 요가를 다녀오면 완벽한 하루가 될 것 같았는데, 어제 술을 너무 많이 마셔서 그런지 온몸이 후들후들 떨려 결국 혼자 계속 누워만 있다 왔다. 집에 돌아와 개운하게 샤워를 하고 마커스를 만나러 갔다. 저 멀리 반짝반짝 네모들이 보이는 아파트 루프탑 빈백에 누워 어제오늘 뭐 했는지, 내일은 뭐 할 건지. 이번 주 계획은 뭔지, 하고 싶은 것들은 다 해냈는지.

인어 두 명이 그려진 알코올릭 워터 하나씩 들고 볼링을 치러 내려갔는데, 8시에 마감되었다고 했다. 1점 나오는 내 볼링 실력 보여주려고 했는데.. 우리는 아쉬운 대로 그 옆에 있던 마리오 카트를 하러 갔다. 세 판 중 첫 번째 판을 제외하곤 내가 다 졌다. 내가 한 번 더 이기기 전까지는 절대 여기에서 나갈 수 없다고 했더니 마지막으로 둘이 같은 팀 먹고 다른 팀들을 이기게 해줬다. 노래 들으며 이번 주의 하이라이트를 공유하고, 나는 내일부터 이틀간 리지네 집에서 지내다가 수요일에 마지막 이사를 한다는 사실을 알려줬다. 벌써 3개월이 다 되어간다니. 파리로 넘어가기 전, 약 2-3 주, 그 잠깐 동안만 지낼 집을 찾기도 참 어려웠다. 하지만 못할 게 무엇이냐, keep right, you'll keep things moving ~

9월 27일
MoMA PS1

네모나게 뚫려있는 천장으로 보는 하늘은 왠지 모르게 더 평화롭고 아름답게 느껴졌다. 나는 오늘 하늘이 이만큼 예뻤는지도 모르고 있었다.

그 네모 천장으로 가끔씩 새들이 우리에게 배를 보여주며 유유히 날아가는 모습을 볼 수 있었고, 아이스크림 차가 정겨운 노래를 부르며 지나가는 소리도 더 생생히 들을 수 있었다. 만약 이 방에 갇혀 이 하늘만이 내가 볼 수 있는 유일한 아름다움인 줄 아는 사람이었다면, 나는 분명 하늘과 사랑에 빠졌을 거다. 분명 많은 위로를 받았겠지. 하얀 벽과 나무 의자 위로 시원하게 뚫려있던 천장이 보여주는 하늘과 옅게 깔려있는 구름.

It's interesting that you mention focus. I was trying to see if I could relate to that and I would say yes. Sometimes I need to be alone in order to design something. If I'm surrounded by people asking me questions, I can't do it. Whenever I really have to do something but if I don't have a proper mental during the day, I stay late in the office and just put on headphones by myself. I'll leave the office 3 in the morning, I'd be so tired but when I look back, it'd be like, FUCK YEAH

Even though we're so crowded here, and I'm sure you get the same feeling in Seoul, we still keep a certain level of distance from another. In the train, we could be standing this close to each other, but we never speak, we never even make eye contact. Physical closeness doesn't necessarily mean connection. We tend to cherish and appreciate the moments where you can catch their brain a little bit. I SEE you. Now I'm SEEING you. It's becoming more than just an image. Now this person to me has I know that they have thoughts, fears, ideas, memories, things they love, things they don't. Even though I don't know all of those things, I now am more connected to your humanity, to the experience to being alive. Now we no longer are strangers.

What happened now is that your brain's stretched a little bit more and now you realize that's not just yours, that in the context of the conversation with someone, there's a bigger space that could be occupied and so now the space you were occupying before doesn't seem as big. 'Cause you can't unlearn that.

October 1st.
A conversation with Christian, outside of Bembe, waiting Nalyse, my lovely future-roommate.

We all sustain ourselves in different ways

10월 6일

뉴욕에서 하는 요가는 뭐랄까, 동작이나 순서가 중요한 게 아니라 그 마음가짐이 중요하고, 그러한 점이 내가 한국에서 그동안 해온 요가와 다르다고 느껴진다.

오늘의 강사가 말하길, 의도가 없는 동작은 요가가 아닌, 그저 운동에 불과하다고 했다. 요가를 하는 동안에는 의도적으로 호흡하고, 의도적으로 동작을 이어나가며 의도적으로 집중하고 싶은 곳에 집중을 해야 한다고. 우리의 몸과 마음을 힘들고 지치게 하는 것들은 안 그래도 이 세상에 널렸는데, 하루에 한 시간 정도는 내 몸이 원하는 자세로, 내 마음이 하고 싶은 생각을 할 수 있도록 도와줄 수 있지 않냐고. 뒤처지는 것 같아 쉬는시간에마저도 병적으로 계속해서 무언갈하지 않으면 안 되었던 내게 해줄 말이었다.

너도 나도 서로 얼굴 보며 눈 마주치고 미소 지었다.

10월 7일

9월 27일은 세상에서 제일 더운 날이었다. 대체 왜 아직도 하루는 덥고, 하루는 추운 건지. 지인분의 9살 짜리 초등학생을 두어 번 베이비 시팅 했던 적이 있다. 9살 남자아이의 이름은 조나단 Jonathan 으로, 집에서는 진우라 불린다. 오늘은 진우를 학교에서 픽업해 수학 숙제하는 걸 도와주었다. 이다음엔 혼자 센트럴 파크 가서 걸을 거라고 했더니 자기도 같이 가고 싶다고 했다. 처음에는 낯도 많이 가리고 내가 어깨에 손만 얹어도 바로 치워버렸는데 센트럴 파크까지 따라가겠다고 하다니 귀여웠다. 진우 어머니께서는 한국말을 가르쳐야 해서 한국말로 해달라 하셨지만 진우는 한국말로 말을 걸면 대답을 안 한다. 어머니 죄송해요..

자기가 좋은 길을 안다며 흙 넘고 산 넘어 진우가 날 데려간 곳은 센트럴 파크의 조깅 코스였다. 운동부 틴에이저들이 열 맞춰 뛰고 있었다. 큰 길에는 Nathan's 푸드 트럭이 있어 나는 코니 아일랜드에서 유명한 핫도그 집이라 멈춰 섰는데, 진우는 자기 형 이름이 Nathan 이라며 멈춰 섰다. 그 푸드 트럭에서 치즈 감자와 사이다를 샀다. 진득하게 앉아서 혼자 생각 정리 좀 하고 싶었는데 진우가 따라와 다시 집까지 데려다줘야 한다. 진우는 치즈 감자가 맛있었는지 내일도 또 오자고 했다. 아냐 아냐. 나 혼자 와도 괜찮단 말이야.

나는 미역국이 먹고 싶다고 했다. 그냥 혼잣말처럼 던진 말이었는데 진우가 자기 엄마 미역국 맛있다며 내일 먹으러 오라고 했다. 사실 이런 몸에 좋지 않은 음식들은 허락을 받았어야 했는데 진우가 비밀로 해달라 했다. 그래서 내 손에 든 치즈 감자는 뭐냐고 어머니가 여쭤보실 시 적당히 잘 둘러대주면, 나를 저녁에 초대해달라고 해주겠단다. 우리는 한국말로 대화를 했어야 하는 것까지 철두철미하게 계산하여, 진우가 엄마한테 한국말로 해야 하는 대사까지 열댓 번 리허설을 했다. 저 멀리 진우 어머니께서 대파가 길게 삐죽 나와 있는 장 봉투를 들고 걸어오시는 것이 보였다. 진우가 침을 꿀꺽 삼키더니 세상에서 제일로 어색한 연기를 시작했다. 진우 어머니께서 내게 시선을 돌렸다. 안경 너머 인자한 눈웃음. 역시나 치즈 감자에 대해 물으셨다. 우리의 거래를 위해 어쩔 수 없는 완벽한 거짓말을 했다. 내일 저녁에 초대받았다. 미역국을 먹게 되었다. 뉴욕에서.

아무래도 바로 다음날은 너무 갑작스러워 이래저래 시간을 정하다 10월 7일인 오늘이 되었다. 진우와 함께 집에 오니 부엌에는 미역이 불려지고 있었다. 진우 어머니께서 전화를 하셔서는, 진우가 말하길 누나가 미역국 먹고 싶댔다고 하던데, 하시며 뭐 못 먹는 것이 있는지 물어보셨다. 저는 그냥 따뜻한 집밥이 너무 먹고 싶어요, 하고 대답했더니, 따뜻한 국물에 따뜻한 밥 해가지고 스테이크 대충 구워 먹으면 되겠네요 :) 하는 대답이 왔다. 진우 어머니 퇴근하시기만을 기다리는, 어퍼 이스트 사이드에서 행-복한 1인.

We all sustain ourselves in different ways

10월 8일

9월 마지막 주쯤, 마커스와 난 계란 후라이에 소금 대신 감자칩을 뿌려도 되겠다는 이야기를 했다. Lays 감자칩은 짜도 너무 짜다. 말 나온 김에 만들어보자고 했다. Eggs & Lays.

내가 부엌에서 계란 후라이를 만들고 있는 동안 마커스는 우리 집과 가까운 브런치 집이 뭐가 있는지 찾아보고 있었다. 그러다 또 웃긴 걸 발견했는지 낄낄대며 다가와 보여줬는데, 업 타운 쪽에 있는 Marcus Garvey Park였다. 뉴욕에서 가장 좋아하는 공원이 뭐냐는 질문에 남들은 다 센트럴 파크를 대답한다면, 우리는 이 공원의 이름을 대자고 했다. 가볍게 웃고 넘겼다. 그때는 내가 정말 Garvey라는 이름을 가진 친구를 만나게 될 줄 몰랐으니까.

몇 주 뒤 나는, 윌리엄스버그에 위치한 디보션Devotion에 가려다 사람이 너무 많아 우연하게 들어갔던 파비아니Fabiane's의 직원과 친해지게 되었다. 아이패드로 열심히 이것저것 끄적대고 있던 나에게 하고 있는 작업이 뭐냐고 물어보던 직원, 한국에서 왔다고 하니 마침 한국 소주 처음처럼으로 새로운 칵테일을 만들고 있었다던 그 직원. 그 직원은 직원이 아니라 그곳을 운영하는 사장이었고, 본인의 이름을 Garvey라 소개했다.

처음 이름을 듣자마자 내 귀를 의심했다. Marcus Garvey Park 할 때 그 Garvey?

각자가 열정을 가지고 있는 일에 대한 이야기를 나누던 우리는 그다음 주 평일, 와인 테이스팅 이벤트에 함께 가기로 했다.

유니언 스퀘어 근처에서 멀지 않던 위치. 많은 회사에서 납품받을 와인들을 테이스팅 하러 온다며, 잘만 찾아보면 거의 매일같이 이런 이벤트를 찾을 수 있다고 한다. 와인은 잘 모르는 나는, 그래도 나보다는 꽤나 전문적일 새로운 친구만 따라 이것저것 홀짝이며 연신 고개를 끄덕였다. 우리는 지금 일하러 온 것이니 취하지 않게 맛과 향만 느끼는 것이 중요하다고 했지만, 한켠에 비치된 빵과 햄, 그리고 창문 너머로 보이는 또 다른 네모 반듯한 빌딩의 모습을 보고 있자니 홀짝홀짝씩만 마셔도 금방 취하는 것 같았다.

가비가 여러 사람들과 명함을 주고받은 뒤에 우리는 옥상에 올라가 잠시 시원한 바람을 쐬고 내려왔다. 어느덧 해가 뉘엿해졌다. 친구가 일하는 PHD 루프탑으로 자리를 옮겼는데 화요일 밤에도 사람이 많았다. 그곳에 앉아 있는 동안에도 여러 사람들과 인사를 했는데 그곳에서 이번에는 나의 9월 집주인을 만났다. 도시에서 누군가를 우연히 마주치는 게 이렇게도 쉬운 일이었나.

서로 여기에서 뭐 하는 거냐며 놀란 눈을 똥그랗게 뜨고 물었다. 나의 9월 집주인이었던 제이든은 매주 이곳에서 호스팅을 한다고. 가비의 친구들과 제이든의 친구들이 악수를 하고 명함을 주고받았다. 한차례 길고 방방 뛰는 인사가 끝이 난 뒤, 우리는 소파? 앉으며 양 팔을 옆으로 뻗었다. 영화에서 나올 법한 느린 노래를 배경으로 너도나도 건치를 자랑하며 웃고 있는 사람들을 보고만 있는 것으로도 재미있었다. 갑작스럽지만 재즈 라이브쇼가 보고 싶다고 말했다. 가비는 전혀 문제 없다고 했다. 지금 예약해서 갈 수 있는 곳을 찾아보겠다고. 멀지 않은 곳에 링컨센터 재즈바 Dizzy's Club가 있었고, 우리는 빼곡한 네모들 사이에서 반짝반짝한 빌딩들을 눈에 담다, 이번엔 창문 너머 울창한 센트럴 파크가 보이는 그곳으로 자리를 옮겼다.

재즈 공연도 다 보고 나오니 시간은 어느새 12시가 넘어있었다. 지도를 보니 리지네 집과 불과 네 블럭 밖에 안되는 위치. 가비가 리지네 집까지 함께 걸어주었고, 리지가 들어오라고 문을 열어주자마자 그길로 기억을 잃었다.

10월 10일

나는 점심 약속이 있던 날이었다. 마커스는 저녁 시간에 코칭을 가야 하는 날이었고. 에라 모르겠다, 우리는 아침 10시에 만났다. 한 번도 이렇게 이른 시간에 만나본 적은 없었기에 전날 밤부터 알람을 열 개씩 맞춰 놓고 자야했다. 다행히 제시간에 일어나, 제시간에 집을 나왔다. 악명 높은 지연의 L 트레인도 제시간 맞춰 딱 딱 와주었고, 내가 약속 시간보다 10분이나 일찍 도착하다니!

10월 중순이 다가오며 뉴욕은 많이 쌀쌀해졌다. 둘 다 띵띵 부은 얼굴로 유니언 스퀘어 공원에 앉아, 따뜻한 커피 한 잔 마시며 아침 새소리를 들었다. 오늘의 코스가 어떻게 되냐고 물었더니, 이스트 빌리지에 빈티지 샵들이 모여 있다며 가까운 곳부터 쭉 돌아보자고 했다. 나는 오늘 꼭, 파리에서 입을 만한 자켓을 건지고 말 거야.

그런데 우리는 마음만 앞서 가게의 오픈 시간은 생각하지도 않은 것이었다. 12시 이전에 문을 여는 편집샵은 없었다. 우선은 빈속이라는 마커스의 배를 채우기 위해 아무 곳이나 들어갔다. 일부러 더 천천히 밥을 먹었는데, 일어나니 이상하게 둘 다 취한 것 같이 몽롱했다. 역시 사람은 원래 살던 대로 살아야지, 이렇게 일찍 일어나고 무리를 하면 안 되는 거라며 헤롱한 기운으로 작은 마을을 돌아다녔다.

드디어 12시가 되어, 마커스가 찾아놓은 가게들을 차근차근 둘러보았다. 나는 첫 번째로 들어간 곳에서부터 바로 마음에 드는 체크 자켓을 만나게 되었는데, 너무 처음부터 덜컥 사버리는 것 같아 조금 망설여도졌지만 더 이상의 예쁜 자켓은 찾지 못해 결과적으로는 그곳에서 바로 사길 잘한 셈이었다. 우리는 여러 색의 선글라스도 써보고 몇 군데 더 둘러보다 익히 들었던 L Train Vintage에 들어갔다. 역시나, 그곳에는 예쁜 아우터들이 우릴 기다리고 있었다. 개인적으로는 엘 트레인 빈티지가 가장 분류도 잘 되어있는 것 같아 앞으로도 자주 올 것 같은 느낌이다.

카우보이같이 소매를 따라 술이 달려있던 가죽 자켓도 입어보고, 서로에게 딱 예쁜 핏의 가죽 자켓도 입어보며 이리저리 사진도 많이 찍었다. 히히.
마커스하고 노는 건 언제나 재밌어.

If you want to dig cool vintages in NYC, here are some spots from Marcus and Erine.

*
*
*

Vintage Shop Recommendations

* L Train Vintage
    204 1st Avenue, New York, NY 10009, United States
    (I love this store the most, especially the leather jacket section.)

* Mr. Throwback
    437 E 9th St, New York, NY 10009, United States
    (For somebody who's obsessed with sports apparels. Not me.)

* Spark Pretty
    333 9th St, New York, NY 10003, United States
    (Funky vintages and colorful things. For '80s & '90s lovers.)

* Beacon's Closet
    74 Guernsey St, Brooklyn, NY 11222, United States
    (Not sure why it's famous, but .. it is.)

*Angel Street Thrift Shop
    48 W 22nd St, New York, NY 10010, United States

* Olde Good Things
    302 Bowery, New York, NY 10012, United States

* Antoinette
    119 Grand St, Brooklyn, NY 11249, United States

* Dobbin Street Vintage Co-op
    39 Norman Ave, Brooklyn, NY 11222, United States

* Mother of Junk
    567 Driggs Ave, Brooklyn, NY 11211, United States

* Goodwill NYNJ Outlet Store & Donation Center
    47-47 Van Dam St, Queens, NY 11101, United States

10월 12일

주말에는 귀신의 집을 하러 가자는 계획이 있었다. 곧 다가오는 할로윈 데이를 맞아, 뉴욕의 집과 상점들은 벌써부터 앞 계단까지 알록달록 해지고 있다. 나는 비자 때문에 뉴욕에서의 할로윈은 보내지 못하게 되었고, 아쉬운 대로 귀신의 집을 경험하는 것으로 만족해야만 한다.

맨해튼에 있는 몇 군데의 귀신의 집 중, 우리는 헬스 키친에 위치한 곳으로 골랐다. 귀신의 집 예약 시간은 밤 10시로, 어제도 리지네 집에서 늦게까지 놀다 일어난 내가 아침을 먹고 집으로 돌아가, 씻고 나갈 준비를 하기까지도 시간이 넉넉했다.

갑자기 로맨틱한 거리가 걷고 싶어졌다. 준비를 다 하고 오랜만에 소호 쪽으로 나가 보았다. 편하게 시간을 때우기 위한 카페 하나를 찾았는데, 알고 보니 분위기 장난 아닌 바 겸, 펍 겸 카페였다. Kobrick Coffee Co. 전반적으로 어둑한 실내에 대략 네다섯 석 밖에 없던 대리석 테이블과, 그 위마다 올려져 있던 꽃과 촛불들. 로맨틱 재즈가 크게 그 좁은 공간을 채우고 있었고 나는 벌써 파리에 와 있는 줄 알았다. 성능 좋은 스피커를 쓰는가 봐?

심장을 너무 빨리 뛰게 만든다는 이유로 커피는 못 마시는 사람이지만, 그곳에 앉아 있자니 왠지 멋있게 한 잔하고 싶었다. 플랫 화이트를 한 잔 시키고 마커스에게 주소를 보내자 15분 안에 출발하겠다는 답장이 왔다. 마커스가 도착하기까지, 나는 이제 당장 3일 앞으로 다가온 파리 여행 서칭을 마저 끝내야 했다. 금발의 초록 눈동자 마커스는 오늘도 옷을 예쁘게 입고 왔다. 나도 예쁜 거 입었는데. 기분이 더 좋아졌다. 이때까지만 해도 나는, 앞으로 닥쳐올 재앙과 시련에 대한 것 따위는 상상도 하지 못했던 것이었던 것이었던 것이었다.

줄이 길어도 너무 길었다. 10시는 무슨, 무려 3시간 반이나 기다려야 했고 그 긴 시간 뒤에 내게 찾아온 것은 서로를 지켜주는 용감한 서로가 아닌, 하얀 머리에 하얀 눈썹을 한 귀신들이었다. 그들은 입구에서부터 다가오더니 각자 따로 가야 한다며 우리를 떼어놨다. 울고불고 소리를 지르며 싫다고 하는데도 귀신들에겐 자비가 없었다. 아니 내가 이걸 혼자 할 거면 뭐 하러 왔는데.. 너무 무서워 울면서 중도 포기하겠다고 여러 번 손을 들었는데, 그럴 때면 귀신들은 계속 날 죽여버리겠다고 말하면서도 거의 다 왔다며, 이제 조금만 가면 된다며 달래는 모순을 보여줬다.

우리 그래도 한 번은 만나겠지, 하고 생각했는데 아예 길이 다르게 나 있나 보다. 마커스의 기적도 느낄 수 없었다. 영화 속 무서운 기운만 나오는 장면도 보지 못하는 나에게 그 20분은 너무도 큰 챌린지였다. 중간중간 다리가 후들거려 주저앉아 있을 때면 뒤에 오던 다른 사람들을 만나, 그들의 손을 붙잡고 겨우 끝낼 수 있었다.

짐 찾는 곳에서 나를 많이 도와줬던 친구들과 껴안고 고맙다는 인사를 했다. 마커스는 본인보다 한참 늦게 나온 나를 보고는, 사실은 내가 포기할 줄 알았다며, 이제 나는 더 강해진 것이라고 놀렸다.

인생아..

10월 13일

어제, 오늘의 계획에 대해 묻길래, 딱히 큰일은 없지만 파리로 떠나기 하루 전날이니 뭔가 좀 차분하게 심신을 안정시켜야 할 것 같다고 대답했다. 그러는 너는 뭐 할 거냐고 물었더니, 음 뭐.. 일요일이니까.. 교회? 그렇게 우리는 교회에 다녀왔다.

저스틴 비버가 다녀 유명해졌다는 Hill Song Church의 7시, 마지막 예배에 가기로 했다. 사람들은 예배 시작 30분 전부터 입구 옆에 긴 줄을 만들고 있었고, 그들을 통제하기 위한 바리케이트까지 쳐져 있었다. 맨해튼 한복판에 이렇게 큰 교회가 있었다니.

나는 무교이지만, 우리 인간 위에 더 위대하신 누군가가 계신다는 것을 믿는다. 그게 누가 되었든 간에 각자 믿고 싶은 분으로 믿으면 된다고 생각하는 편. 한국에서 엄마 따라 몇 번 교회를 갔던 적이 있었는데, 그럴 때마다 항상 2층 오른쪽에 앉았었다. 오늘도 자연스럽게 2층으로 올라가, 오른쪽 자리에 앉았다.

거의 콘서트장을 방불케 하는 찬송이 이루어지고 있었다. 엄청나게 긍정적인 에너지로 하나님께 닿겠다는 의지와 그 기운을, 나는 자리에 앉기도 전에 느낄 수 있었다. 생각해보니 건강한 생활을 시작하겠다는 다짐을 할 때면 항상, 일요일 오후 예배에 다녀온 후였다.

마커스 생일이 11월인 줄 알았는데 알고 보니 10월이었다. 리지가 호스팅 하겠다는 10월 이벤트도, 마커스의 생일도, 할로윈도 다 놓치게 되다니, 너무 속상하다. 다른 건 몰라도 촛불은 꼭 불고 싶었다. 매그놀리아 컵케이크 사서 공원에 앉아 예쁘게 짝짝짝 하고 싶었는데 시간이 너무 늦어 그때까지 열려있는 베이커리를 찾지 못했다. 마침 우리가 서 있던 곳이 34번가. K Town 과 가까워, 그 와중에 BBQ엘 들러 한국식 치킨으로 기분을 좀 풀 수 있었다.

우린 결국 그냥 집 앞 델리에서 파는 작은 아이싱 파운드에 초를 불었다. 계획한 대로 되지 않아 속이 상했지만, 준비해 온 색깔 초를 꽂으니 그럭저럭

꽤 귀여웠다.

마커스가 또 내일의 계획에 대해 물었다. 리지네 집에 짐 맡기러 가야 하는 것 빼고는 없다고 했더니, 내일 브루클린에서 있을 작은 오픈 마이크 무대에 초대를 했다.

여기서 잠깐, 이 작은 공연은 우리에게 일전에도 언급이 된 적 있던 주제였다. 8월 말쯤, 취미로 꾸준히 음악을 해 온 마커스가 곧 소식을 전할테니 보러 오라고 했던 적이 있었다. 하지만 그 후로 더 이상의 이야기를 듣지 못해 한참 뒤에 어떻게 되어 가느냐고 물어봤더니, 사실 이미 한 번 진행했다는 대답이 돌아왔었다. 왜 말을 안 했냐고 했더니 처음 해보는 거라 부담감도 컸고, 어차피 아무도 초대한 사람은 없었다고. 그래도, 그럼 그렇게라도 말했어야지, 네가 그렇다는데도 내가 스토커처럼 따라가서 몰래 보고 있을까 봐 그랬어? 서운한 기색을 감출 수 없었다.

드디어 정식으로 초대를 하다니. 그렇지만 괜히, 내가 전에 그렇게 말한 것 때문에 예의상 하는 초대라면 가고 싶지 않았다.

"내가 갔으면 좋겠어?"
"뭐, 네가 오고 싶다면."
"아니, 네가 와달라고 해야 갈 거야. 내가 와주길 원한다면 가고, 아님 안 가고."
"네가 오고 싶으면 와도 돼."
"아냐, 나도 이러나저러나 괜찮아. 네가 와달라고 하면 갈게."

몇 초간 서로의 얼굴을 바라보며 입을 꼼지락댔다. 동시에 나온 '알았어, 와줘'와 '알았어, 갈게'. 리지네 집에 짐 두러 잠시 들러야 하니 상황 보고 연락하기로 했다. 감자튀김을 만들던 에어 프라이기에서 삐 삐 삐, 소리가 났다. 우리는 감자튀김 말고도 당나귀에게 상으로 줄 것 같은 작은 당근과 청사과도 그릇에 담아, 볼 영화를 골랐다. 내일 아침으로는 베지 버거를 해준다고 했다.

I'll be back, New York !

Paris

Watching people smile

When I see someone smiling, it makes me happy. Smile has its own positive energy and it's contagious. Don't you find yourself smiling when you hear a baby's giggle?

Aureilia

다른 사람들이 웃는 것을 볼 때

다른 사람이 웃는 걸 보면 행복해져요. 웃음은 그만의 긍정적인 에너지를 가지고 있음과 동시에 굉장히 전염성이 강하죠. 아기가 꺄르르 웃는 소리를 들을 때 자신도 모르게 미소 짓게 되는 모습을 발견하지 않나요?

Aureilia

What makes you happy?

My scalp massager

I would like to say, just using my scalp massager every night after work makes me happy.

Picture this. A happy lady in a robe after a shower, sitting on a couch giving herself a scalp massage with her cat.

That's it. ☺

Lily

두피 마사지기

저는 그냥 매일 밤, 일 끝나고 집에 돌아와 쓰는 두피 마사지기가 절 행복하게 한다고 말하고 싶네요.

상상해볼래요? 샤워를 마치고 가운을 입은 행복한 여자가, 소파에 앉아 그녀의 고양이와 함께 두피 마사지를 하는 모습을?

그거면 된 거죠. ☺

Lily

Walking	걸어요
Especially in nature. It's a big question. But if I'm walking without using the Internet, I must be suffering from some issue. I can just think about anything, smell the sunshine, and touch the dirt while walking.	특히 자연 속을요. 쉽게 대답할 수 없는 질문이긴 하네요. 만약 제가 인터넷도 없이 그냥 걷고 있다면, 아마도 무언가 절 힘들게 하는 일이 있는 걸 거예요. 그냥 아무거나 생각할 수 있어요. 걷는 동안 햇빛 냄새도 좀 맡고, 흙도 만지고요.
When I was in Columbia, there was a very small village past the lake called Beginning of Life. There is a story of a snake in that lake which became a woman. I know, that's what they believed. But at that moment, enormous thoughts about our origin just popped up in my head.	콜롬비아의 작은 마을에 간 적이 있는데, '우리 삶의 시작점'이라 불리는 호수를 올라가면 나오는 곳이었죠. 그 호수에는 뱀이 한 마리 있었는데, 그 뱀은 나중에 여자가 되었대요. 알아요, 그들은 그렇게 믿고 있었어요. 그런데 그 말을 듣는 그 순간, 인간의 근원에 대한 막대한 생각들이 갑자기 제 머릿속을 스쳐 지나갔습니다.
I thought again while walking through the village. It was the moment that I reminded myself about a lot of different values.	다시 그 마을을 걸으며 그 생각들을 정리해봤어요. 인생의 참 많은 가치관들을 돌아본 순간인 것 같아요.
Leo & Tiffany	Leo & Tiffany

What makes you happy?

Pizza

Pizza makes me happy.
Well, I know this is not a big
answer, but it's true !

It looks really good and
smells really good. I see it,
I smell it, and the minute I
put it in my mouth, voilà, I
become happy !

Bruno

피자

피자가 날 행복하게 만들어요.
별거 아닌 대답이라는 거
알아요, 그렇지만 사실이에요 !

피자는 보기에도 좋고 냄새도
좋아요. 그걸 눈으로 보고,
냄새를 맡고, 입으로 넣는 순간,
(짠) 행복해져요 !

Bruno

What makes you happy ?

Soil

Do you know the difference between soil and dirt ? Let's google it now.

Soil is alive with living organisms such as worms, fungi, insects, bacteria, and organic matter. It supports life with its naturally occurring nutrients and minerals, making it a perfect planting medium. It is a complete and self - sustaining ecosystem.

Dirt is dead. When all this magnificent living thing called soil leaves the garden on your hands or clothes, it gets displaced and is now defined as dirt. Dirt is dead and does not support your life. You cannot plant a productive garden in dirt.

I've visited my grandma's house a couple weeks ago, and she showed me her garden. I could feel her love even from the lettuce. You need to really TOUCH them and FEEL them.

Gabriel

흙

토양과 먼지의 차이점이 뭔지 알아요 ? 지금 검색해봐요 우리.

'토양엔 땅속에 사는 지렁이나 여러 가지의 균, 벌레, 박테리아, 유기물들같이 살아있는 유기체들이 모여있다. 자연발생적으로 생기는 영양분과 미네랄로 생명을 돕고, 완벽한 배양 매개체가 되어준다. 그 자체로 완전하고 자급자족할 수 있는 생태계이다.'

'먼지는 죽어있는 것이다. 토양이라 불리는 참으로 아름다운 생물이 당신의 손이나 옷에 정원의 흔적을 남긴다면, 그것은 옮겨졌고, 이제 먼지라고 정의된다. 먼지는 죽어있는 것이고, 생명에 도움을 주지 않는다. 먼지에는 생산적인 뜰을 가꿀 수 없다.'

얼마 전에 시골에 계신 할머니 댁에 놀러 갔었거든요. 할머니께서 매일같이 가꾼 텃밭을 보여주셨는데, 상추에서마저 사랑받고 있음이 느껴졌어요. 사람이 흙을 만지며 살아야지요.

Gabriel

What makes you happy ?

Others' passion

Talking about people, when you asked me about my happiness, may sound ridiculous. Yeah, I figured.

We are so blessed to be able to look at these gorgeous Monet's paintings here, and I think it is all about our passion towards these pieces. Everyone is coming from everywhere to just look at them.

I guess, because of that, this moment exists right now. Me answering to a college student from South Korea, who's working on her wonderful project about my happiness !

Margaux

다른 이들의 열정

저를 행복하게 만드는 것이 뭔가 하는 질문에 다른 사람 얘기를 하는 게 좀 웃겨 보일 수도 있겠어요.

이렇게 아름다운 모네의 그림을 볼 수 있는 것만으로도 참 축복받은 우리들이에요. 그렇지만 그러기 위해서는 저마다가 가지고 있는 이 그림에 대한 열정이 필요하고, 지금 그것이 충족되기 때문에 가능한 일이라 생각해요. 이렇게 많은 사람들이 매일같이 몰려들어 열광하잖아요.

그 덕에 지금 이 순간도 존재하는 것 같아요. 저 먼 한국에서 날아온, 이렇게 멋진 프로젝트를 기획하고 있는 대학생에게 행복에 관한 인터뷰도 하고요 !

Margaux

What makes you happy?

Saturday night

"Oh please dear God, take me back to Friday .." Every Sunday night, no exceptions. But on Saturday, you don't need to think like this. You already spent the whole day for yourself, and there's still one more day left !

Sunday night, I prefer to come to this jazz club and listen to music. It doesn't necessarily require me to be super active. All I need to do is just hold a bottle of beer, and stand in the middle of this music that passionate people had made.

Agathe

토요일 저녁

매 일요일 밤마다 전 생각해요. "아.. 오늘이 금요일이었으면.." 토요일 밤에는 이런 생각을 할 필요가 없잖아요. 푸욱 쉬었는데도 내일 하루 더 놀 수 있거든요 !

일요일 저녁엔 이렇게 재즈바엘 와서 음악을 들어요. 엄청난 에너지 소모를 요하는 것도 아니고, 그저 맥주 한 병 손에 쥐고선 열정 있는 사람들이 만들어낸 음악 속에 서있기만 하면 되죠.

Agathe

When I did a great job for my dinner

No, I'm not a chef. I was just like, hmm .. wait a minute, why don't I say that I'm happy when I take a bite into exactly what I was expecting. There's no need for more words.

Cooking, it's kind of a pain in the ass, isn't it ? Even if it's only for a quick bite but tastes really bad, it affects your mood.

My specialty ? Well ..
I would say .. boeuf bourguignon. It's a beef stew braised in red wine, and I need only one person to try it, me !

Lily

요리가 잘 됐을 때

아뇨, 셰프는 아니에요. 그냥 생각해보니.. 저는 제 요리에서 제가 딱 생각한 그 맛이 날 때, 그 어떠한 설명도 필요치 않을 만큼 행복해요.

요리하는 거, 보통이 아니잖아요. 제아무리 간단한 것이어도 말이죠. 설령 간단한 끼니로 때운다고 해도 그게 또 맛이 없으면 기분에까지 영향을 준다니까요 ?

제가 가장 자신 있는 요리요 ? 뵈프 부르기뇽이요. 쇠고기를 와인에 졸인 음식인데, 전 제 요리를 맛있게 먹어줄 한 명만 있으면 돼요. 저요 !

Lily

What makes you happy ?

10월 20일
Le Caveau de La Huchette

숙소에서 만나 친해진 동생이 루브르 박물관에서 작게 열리고 있는 전시 부스로 초대를 해줬다. 빨간 튤립을 사러 집 아래에 있는 꽃집에 들렀다. 연경이에게 줄 한 다발과 내 방에 둘 다른 한 다발. 꽃이 참 싱싱하고 건강해 보인다.

생 제르망에 위치한 유명한 카페 레 두 마고 Les Deux Margots에서 시간을 보내다 셰익스피어 서점 Shakespeare & Company도 다녀온 뒤, 비가 추적추적 오길래 카페 웨이터에게 추천받은 재즈바를 찾았다.

흥겨운 재즈에 맞춰 하나 둘 무대 앞으로 나온 노부부들을 보며, 나도 내 나이 50에는 이렇게 주말 밤, 아끼는 원피스 입고선 남편과 재즈바 놀러 와 박자 맞춰 발을 움직이고, 어깨를 흔들흔들, 눈을 마주치고 껴안으며 손을 맞잡고 싶다는 생각을 했다.

빨간 안경테를 쓰고 고개로 까딱까딱 박자를 타는 여자친구가 사랑스럽다는 듯 계속 뽀뽀를 하며 그 모습을 카메라로 담는 남자를 보며, 나도 이런 로맨틱한 밤을 함께 즐길 줄 아는 사람을 만나고 싶다 생각했다. 미묘하게 어긋나는 박자에, 조금 서툴더라도 흥이 많은 아내의 리듬에 맞춰 함께 웃으며 둠칫 두둠칫.

10월 22일
Shakespeare & Company

책에 대한 아무 정보도 없이 셰익스피어 북 스토어에서 하는 작가와의 만남에 다녀왔는데, 뉴욕을 배경으로 한 소설이었다. 내 인생에서 우연적으로 일어나는 일들이 공통점을 갖고 있을 때, 다 하나의 계시라고 생각하면 참 재미있다.

각국에서 모인 또래 친구들과 높게 쌓여 있는 책들 사이에서 시간 가는 줄도 모르고 이야기를 하다, 내친김에 같이 몽마르뜨로 야경까지 보고 왔다.

아무도 없던 뉴욕에서 처음부터 다 좋은 사람들만 만나 잘 적응할 수 있던 것도 운이 좋았다. 잠시 들른 파리에서까지, 다신 없을 기회들로 가득한 시기인 것 같아 감사하고 또 감사합니다!

10월 26일
La Seine

센느 강을 따라 줄 서있는 가판대에서 옛날 엽서를 팔길래 멈춰서 한참을 구경했다. 주인에게 러브 레터를 찾고 싶다고 했더니 고르는 것 하나하나 일일이 번역을 해줬다.

레옹이 편지에 답장을 안 한다며, 대체 어디서 뭐하고 있는지 꼭 알려 달라는 엽서도 찾고, 떠나기 전에 마지막으로 한 키스가 정말 좋았다는 스윗한 엽서도 찾았다. 사람이 사람 좋아하고 헤어지는 건 1905년 프랑스에서도 다 똑같았구나.

나도 엽서나 써봐야겠다. 100년 뒤, 서울과 뉴욕을 들른 누군가가 사 가는 기념품에 내 마음까지 실려 가겠지?

10월 28일
19e Arrondissment

나는 정말, 신의 보호를 받고 있는 애가 맞다. 이쯤 되면 교회건, 성당이건, 절이건. 어느 한 곳은 진득하게 찾아가, 매일같이 감사 인사라도 올려야 할 것 같다.

남들은 온전한 정신에도 소매치기당한다는 파리 19구에서 새벽 3시에 만취 상태로 키가 큰 나무 옆에서 자려고 했단다. 숙소 근처 와인 바에 있었는데, 가게 사람들과 친해져, 문 닫고 그 안에서 한 잔씩 더 하다가 갑자기 혼자 문밖으로 나갔단다. 귀소 본능이 도진 것 같다.

한 친구가 춥다고 자켓을 벗어주며 따라 나왔는데, 이 앞에 있을 테니 혼자 있게 해달라고 했단다. 한참을 기다려도 내가 오지 않자 다 같이 밖으로 나와봤고, 역시나 그 자리에 가만히 있었을 리가 없는 나를 찾으러 동네방네 다 같이 이름을 부르며 찾아다녔다고. 또 다른 친구가 어디선가 자전거를 빌려 가지고 와, 결국엔 나무 옆에 앉아 있는 나를 찾아낸 뒤 집 앞까지 데려다주었다. 지갑도, 핸드폰도, 내 목숨도, 모두 다 멀쩡했다.

착하게 살게요

10월 30일
Châtelet

지난주에 부족한 필름을 사러 샤틀레 쪽에 갔다가 괜찮은 카페를 찾았다. 파운드 케이크와 차를 시켜 마시다, 카운터 쪽에 불독 한 마리가 자고 있는 걸 발견했다. 그 불독의 이름은 푸씨Pussy라고 했다. 내가 제대로 들은 게 맞는지 여러 번 되물었다. 강아지 이름을 누가 저렇게 짓는담.

카페에 앉아 있다 바람을 쐬러 바깥 자리로 잠시 나와 있었는데 카페 사장이 나와 담배 한 대를 피웠다. 이름은 로라Lola. 2년 된 남자친구와 함께 운영하고 있다는 이 카페에서 베이커리를 담당하고 있다고. 서로 입고 있는 스타일이 마음에 든다며 쇼핑할 곳들을 공유하는 동안 친해졌다.

오늘은 근 2주간 파리에서 찍은 필름들을 인화해 인쇄소에 맡겨 뽑은 뒤, 내게 힘이 되어주는 지인들에게 보낼 엽서를 썼다. 사진 하나하나, 친구 한 명 한 명. 각자에게 어울릴 것 같은, 혹은 좋아할 것 같은 사진들을 골라 색연필로 동그란 네모 테두리를 그렸다. 직접 엽서를 만들어 보내고 싶은 마음은 아주 오래전부터 있어 왔으나 역시, 항상 나중으로 밀려나는 일 중 하나였다. 이렇게 먼 곳에까지 나와 이루게 되었다.

엄마와 아빠, 소미와 콩이, 그리고 할머니, 할아버지, 서울에 있는 친구들과 뉴욕에서 사귄 친구들.

내 옆 테이블에는 로라와 로라 남자친구와 그들의 친구들이 옹기종기 얼굴을 맞대고선, 작은 노트북 화면과 그 앞에 놓인 공책을 번갈아 바라보며 열심히 토론을 하고 있었다. 일을 구하는 중이란다. 그들은 그 친구에게 무엇이 최선의 선택일지 한참을 다 같이 고민하며 비교했다.

해가 지고 배가 고파진 나는 일어나며 로라와 로라 남자친구와, 그들의 친구와 강아지 푸씨에게 인사를 했다. 로라가 다가와 안아 주며, 볼에 세 번

입 맞추는 프랑스식 인사를 해줬다. 나 이제 프랑스 사람 다 됐다!

10월 31일
La Gare

파리에 와서 친해진 친구들 중 나를 가장 많이 챙겨줬던 젬^{Gem}. 젬이 처음 만난 순간부터 가자고 얘기하던 재즈바에 오게 됐다. 오늘 뉴욕에서는 화려한 퍼레이드가 한창이겠지. 웬만해선 밤늦게 돌아다니는 데에 겁도 없는 데다가 숙소와도 그리 멀지 않던 곳이었지만 괜스레 떨려왔다. 젬이라는 사람에게서 왠지 모르게 굉장히 거친 느낌이 풍겼기 때문인 것 같다. 날 대체 어디로 데려가려는 거야.

영국인인 젬은 미국에 갔다 출국 날짜가 지나도록 있은 뒤 그냥 배를 타고 떠났다고 했다. 있다보니 자연스럽게 비자 기간이 만료되었고, 비행기로 나가자니 붙잡힐 것 같아 그냥 배를 탔다고. 하지만 다시 영국으로 돌아갔을 때, 왜 여권에 출국 도장이 없냐며 심문을 당하고는 결국 벌금을 내야 했단다. 코 모양만으로 속궁합이 잘 맞는 남자를 찾는 법에 대한 방법도, 복잡하게 얽히고설킨 본인 가족사에 대한 얘기도 남 일 마냥 스스럼 없이 해줬던 젬.

재즈바에서 종종 취미로 노래를 부른다는 젬이 날 데리고 간 곳은 버려진 기차역이었다. 오래전에 버려진 역을 공연장으로 만든 곳. 9시쯤 넘어서 갔더니 안에는 이미 이상한 냄새와 미지근한 공기로 가득 차 있었다.

네 벽이 모두 예쁜 무늬의 붉은 카펫으로 둘러싸여 있었는데, 영화 <해리포터>의 그리핀도르 기숙사 인테리어를 보며 내 방에도 해보고 싶던 대로였다. 아직까지 실제로 누군가의 집에서 본 적은 없었는데 역시나 괜찮은 인테리어 효과 같았다. 먼지만 감당할 수 있다면.

중간중간 영어를 쓰던 보컬을 제외하면 모두 화가 많이 난 불어로 대화를 하고 있었다. 앞줄엔 의자도 있었지만 이미 다 차, 공간의 작은 끼임 각까지도 사람들이 서 있었다. 맥주 한 병씩 마시며 열정적인 밴드의 무대를 바라봤다. 거기서 또 만나게 된 사람이, 이 공간은 온전한 아티스트들만의 공간이라 설명했다. 무대 위에 서는 사람들이 원하는 음악을 하고, 우리는 그저 그들이 이끄는 대로 따라가야 한다고. 여기는 그것을 받아들일 준비가 된 사람들이 오는 곳이라고 했다. 나는 그 설명에서마저 분노 비슷한 것을 느꼈다. 두근, 뭔가 결의를 다지는 현장 같았다. 나도 모르게 눈썹에 힘을 주고 콧구멍을 벌렁거렸다.

다른 이들이 열정을 가지고 밤낮없이 만들어냈을 그 음악을 지금 우리 앞에서, 온몸에 땀을 흘려가며 끝없이 분출하는 것을 보고 있자니 내 심장도 덩달아 쿵쿵 쿵 하고 뛰었다.

11월 1일
Ybon Lambert

기대하고 기대했던 것만큼 맛있던 에스카르고를 성공적으로 마치고, 계속 미루던 이봉랑베르$^{\text{Yvon Lambert Gallery}}$에 드디어 다녀왔다.

들어가자마자 종이로 둘러싸여 있는 공기에 행복해졌고, 여러 사진집들을 뒤적거리고 있을 때 브루노^{Bruno}라는 서점 직원이 곁에 와 이것저것 소개를 해주기 시작했다. 이봉랑베르는 서점과 갤러리가 합쳐져 있는 독립 서점 겸 갤러리이다.

매일 하루에 한 장씩 하늘을 찍어 그다음 날, 서점으로 <어제의 하늘>이라는 사진을 보내는 사람도 있었고, 미국을 여행하며 들른 스무 곳의 바다에서 그림을 그린 뒤 파도에 적셔, 그 스무 장의 그림이 모두 각기 다른 모양으로 번져있던 작품도 있었다. 특정 별자리 하나를 정하여 파리 지도에 옮긴 뒤 그 위치의 전등 하나씩을 꺼, 하늘에서 보면 불이 꺼진 모양대로 그 별자리가 되어있는 작품까지 보며, 이 땅엔 뭐 이리 창의적인 사람들이 많은지 감탄에 감탄을 금치 못했다.

갤러리 한켠, 사진들이 액자에 담겨 전시되어 있는 공간에선 브루노가 비밀의 문을 하나 더 열어 비밀 전시도 보여주었다.

한국에서 왔다고 하니 마침 서점에서 인턴으로 있던 한국인 유학생 분과 인사를 시켜줬다. 가게를 유유히 걸어 다니고 계시던 이봉^{Yvon}할아버지와 악수도 하고, 내가 진행하고 있는 프로젝트에 대해서도 말해주자 완성되면 서점으로 보내라며 명함을 주었다. 서점 자체가 아시아권 문화에 굉장히 관심이 많다는 느낌을 받았다.

나 같은 대학생들이 혼자 출판한 작은 책자부터 하다 못해서는 과제들까지. 모두 발품 팔아 데모를 가지고 오면 받아준다고 했다. 신인 예술가들이 받는 저평가 된 시선과는 전혀 거리가 멀군! 내일은 휴일이라 쉰다고 해, 토요일에 나도 데모 들고 새 전시 보러 다시 들르기로 했다. 떠날 날이 며칠 남지 않아 촉박하지만 이렇게 된 김에 또 경험 하나 쌓는 거지 후후.

11월 4일
Shakespeare & Company, again

셰익스피어 서점은 언제 와도 참 좋다. 항상 계단 올라가기가 귀찮아 1층 구석에서만 책을 읽다 왔었는데, 오늘은 마지막 날인만큼 2층까지 올라와봤다. 고등학교 2학년 생일 때, 이곳으로 가족여행을 왔던 기억이 났다.

2층 한켠에선 책에 대한 토론이 진행중이었고, 다른 한켠에서는 이름 모를 누군가가 피아노를 치고 있다. 어느 한 사람 할 것 없이 그 어떤 것도 개의치 않고 자신이 읽고 싶은 아주 오래된 책을 꺼내, 모두가 한결같은 속도로 천천히, 한 장 한 장을 아주 천천히 넘긴다.

고양이가 고양이 전용 의자에 앉아있는 사람의 무릎에 올라가 앉았다. 모두가 고개 숙이고 앉아 종이를 넘기고 있는 이 축복의 시간.

New York City
Winter

Sun	해
Close your eyes and just feel it.	눈을 감고 느껴봐.
Stefano	Stefano

What makes you happy?

Being productive

For me, everything clicks when I'm making music.

I get a certain energy when making music, and I'm always searching for that with the people around me or my experiences. If it feels right, I just continue doing it. I just embrace it. But if I'm fighting against it and the energy is off, then I remove myself from it.

That's pretty much how I've been living my life.

Marcus

생산적인 일을 할 때

나는 곡을 쓸 때 모든 것이 완벽하게 잘 맞아 돌아간다고 느껴.

음악을 만들 때 얻는 특정 에너지가 있는 것 같아. 다른 사람들 혹은 그로 인해 만들어진 경험에서도 그 에너지를 얻을 수 있는지 항상 돌아보곤 해. 만약 그것이 옳다 느껴지면 기꺼이 해내. 하지만 그것에서 오는 에너지가 내게 맞지 않다면, 더 이상 포용하지 않지.

이게 내가 그동안 살아온 방식이라고 할 수 있겠어.

Marcus

Being just the way I am

Even though my answer for the best cure for me is to get busy, busyness isn't a cure. It might be a distraction from my problems or a temporary solution in the moment. The cure has to be a consistent thing. Otherwise, it's just too temporary to actually work, because unhappiness is stronger than anything and grows easily. It will eventually come back.

We try to get busy when we want to avoid a problem or deny that we are avoiding it. I tend to tell myself, "Okay. From now on, I'm going to be really busy, try to get everything done, and clean up." Right then, I don't even realize that I'm already perfect just the way I am. I can be happy just knowing WHO I AM. I don't need anything else. I can create my own happiness by knowing that I already have that inside me.

Nalyse

내가 나 자체로 존재한다는 것

나를 치유하는 가장 좋은 방법은 바쁘게 지내는 것임에도 불구하고, 동시에 그런 바쁨은 내게 치유가 아니기도 해. 문제를 직면하지 않으려는 주의 분산일 수도 있고, 순간의 일시적인 해결책일 수도 있지. 제대로 된 '치유'는 매일 지속되는 것이어야 해. 부정적인 것은 그 무엇보다도 단단하고 자기 스스로 자라나는 힘이 강해서 제대로 치유하지 않으면 언젠가 다시 돌아오거든.

우리는 문제를 직면하고 싶지 않거나, 혹은 아예 그 문제 직면을 피하고 있단 사실을 인정하고 싶지 않아 바쁘게 지내. "자, 나 지금부터 엄청 바빠진다, 청소도 하고, 해야 할 일도 다 끝낼 거야. 그럼 정말 완벽해질 거야!" 나는 이미 나 자체로 완벽하다는 걸 인지하지 못하고서 말이야. 나는 '나 자신이 누구인지'에 대해 아는 것만으로도 행복해질 수 있어. 다른 게 아니야. '내'가 나의 행복에 관여할 수 있다는 것과 그것은 이미 '내' 안에 있다는 것만을 앎으로써 말이지.

Nalyse

What makes you happy?

11월 29일

파리에서 돌아오자 뉴욕은 겨울이 되어 있었다. 벌써부터 시린 바람에 오들오들 떨며 입버릇처럼 '겨울 다 됐네'라고 할 때마다 옆에 있던 친구들은 아직 시작도 안 했다며 겁을 준다.

둘째, 셋째 주에는 브로드웨이에서 영화 오디션도 보고 브라이언트 파크에서 아이스 스케이트도 탔다. 여름에는 다 같이 영화를 보던 그 잔디밭이, 겨울을 맞아 아이스 링크로 변신했다. 예쁜 트리와 함께 도시 전체에 연말 분위기가 가득이다. 단 게 땡기던 날에는 집에서 멀지 않은 곳에 맛차 슈크림이 있다는 것도 알게 되었다. 구글 맵에 그냥 '단 거'하고 입력했다. 그동안 이름 때문에 흑백영화 상영관인 줄 알았던 필름 누와르 Film Noir Cinema로 독립영화도 보러 다녀오고, 플로리다에서 일하고 있는 종훈이가 땡스 기빙 연휴로 올라와 한인타운에서 삼겹살도 먹었다. 리지가 일하는 날엔 함께 뱀베에 놀러 가 오랜만에 춤도 췄고 종훈이네 어머니께서 저녁에 초대해 주셔 미국식 땡스 기빙도 축하해봤다.

종훈이네 본가는 뉴저지에 위치한 미국식 집이었다. 종훈이가 어린 시절을 보냈던 2층 방부터 얼마 전에 리노베이션을 마쳤다는 지하 영화관까지 룸 투어를 마치고서, 본격적인 저녁 식사를 시작하기 전 다 같이 넓은 부엌에 모여 매년 남긴다는 기념사진을 찍었다. 초대받고 오신 부모님의 친구분들과도 인사를 나눈 뒤, 본격적인 땡스 기빙 칠면조 커팅이 진행되었다. 종훈이 어머니와 종훈이 아버지가 다른 가족들과 응접실에서 그들끼리의 식사를 하시는 동안 종훈이 동생 현지는 또 자기 친구들과 지하에 내려가 넷플릭스를 보고, 종훈이 여자친구 다경이와 나는 거실에서 노래를 들었다. 종훈이는 한국에서 지내는 나보다도 한국 연예계 사건 사고를 더 빠삭하게 알고 있다. 이곳에서 만난 친구들의 가족 식사에도 몇 번 초대받은 적이 있었는데 이렇게 정말 making myself at home 했던 적은 처음이었다. 각자의 방식으로 저녁을 즐기는 그 자유로움 속에서 우리는 느긋하게 소파에 누워 소화를 시켰다.

지성의 11월 뉴욕은, 어느새 루틴들이 갖추어져서인지 안정적이다. 친구들의 스케줄도, 나의 스케줄도 알맞게 딱딱 잘 맞는다.

아침에 일어나서는 리지와 간단한 스트레칭 후 냉장고를 열어 필요한 것이 있는지 확인을 한다. 집에서 네 블록 떨어진 센트럴 파크로 조깅을 갔다, 돌아오는 길에 콜롬버스 서클에 있는 홀푸즈 마켓에 들러 간단히 장을 보고는 집에 와서 점심을 먹은 뒤 청소를 한다. 리지는 출근을 하기 전까지 최대한 에너지를 아끼려 집에 있는 편이기 때문에 나는 책과 노트북을 챙겨 리지에게 혼자 있을 시간을 준다. 보통 다운타운이나 브루클린으로 나간다.

가보고 싶던 곳이 있으면 동네를 구경하며 혼자 이곳저곳 들어가 쇼핑도 하고, 요일 맞춰 미술관에 가서 시간을 보내기도 한다. 운동을 좀 해야 할 것 같은 느낌이 드는 날엔 춤이나 요가 수업을 갔다가, 꼭 따뜻한 잇푸도 라멘 Ippudo을 먹고 들어온다. 서로 아무 약속도 없는 날에는 리지와 요리를 해서 빔 프로젝터 틀고는 넷플릭스를 본다. 아침에 출근했던 친구들이 저녁에 퇴근하길 기다렸다 같이 영화를 보러 가거나, 예쁘게 차려입고 칵테일 한 잔 하러 가는 날도 있다. 일주일이 7일이니, 사실상 매일 그렇게 친구들과 노는 것인데 나는 좋다. 끝나지 말아라, 뉴욕 백수의 삶.

날 사랑해 주는 이들의 온기 속에서

11월 30일

Don't fake it till you make it, fake it till you become it.

갑자기 국제 편입이 하고 싶어져 아이엘츠 시험을 접수했다. 뉴욕에 더 오래 있고 싶은데 어학원은 싫다고 했더니 대학을 옮기는 것도 안되겠느냐 마커스가 던진 말이 화근이었다. 당장 2주 뒤에 있을 시험 준비 겸 TED를 본다. 강연을 듣고 받아 적으며 듣기와 쓰기를, 그리고 그 스크립트를 따라 읽으며 말하기를 연습하려 시작했는데, 긍정적인 말들이 만들어낸 좋은 에너지를 전파 당하여 아침마다 개운하게 일어나는 효과까지 보고 있다.

오늘은, '자세가 인생에 끼치는 영향'이라는 제목의 강연을 봤다. 당연히 바른 자세로 앉아야 한다는 건 알고 있다. 이 강연에선 흥미로운 연구 자료들을 예시로 들며 자세가 우리 태도를 넘어 삶에까지 미치는 영향에 대해 설명하고 있었다.

올림픽이나 마라톤 같은 시합의 경기 결승점에서 1등을 한 사람들은, 자신이 그 자세를 본 적이 있든 없든 간에 모두들 팔을 위로 뻗어 높게 브이를 그린다고 한다. 무언가를 해냈을 때면, 항상 나도 모르게 그렇게 해왔다. 성취감의 자세. 실험의 참가자들은 두 그룹으로 나뉘어 5분간의 인터뷰에 들어가기 전, 각각 Power Pose(라고 불리는 원더우먼 자세)와 소극적 자세를 취하였다. 그 뒤에 이루어진 인터뷰에서 그들은 그 어떤 질문에도 대답할 필요가 없었으며, 심사위원들은 그저 그들의 얼굴만 보고 사람을 뽑았다. 모두 하나같이 파워 포징을 하고 인터뷰에 들어온 첫 번째 그룹의 사람들을 뽑았단다.

자신감 넘치는 사람들은 테스토스테론 호르몬이 높은 것뿐만 아니라 스트레스 호르몬이 낮다고 한다. 이 말은, 자신감 넘치는 사람들이 스트레스 호르몬을 조절하는 법을 안다는 것이라고. 자신감이 없을 땐, 인간이며 동물이며 모두 몸을 웅크리고 자신을 최대한 작게 만든다. 반대로 자신감이 넘칠 때엔 몸을 최대한 펼치고. 강연자는, 그렇다면 자신감이 없더라도 신체를 자신감이 넘치는 자세로 만든다면 없던 자신감도 생길까 하는 연구를 하였고, 실제로 없던 자신감이 생겼을 뿐만 아니라, 한 사람의 인생에 펼쳐진 가능성까지도 바뀌었다는 결과가 나왔다고 말했다.

지금 감동을 너무 많이 받아 뭐라고 쓰는지도 횡설수설이다. 무슨 일이든 시작하기 전에 2분간의 파워 포징을 해보자. 기분이 좋지 않고 자신감이 없더라도 자신감 넘치는 사람인 것처럼 몸을 속여, 결국엔 내가 정말 그런 존재가 되는 실험 –

I turned 23 !

ALEX FALCON · DAVID PIETRICOLA
JAKE COHEN · MADISON MADURI
BEATRICE TOLAN

Digital Matte Painters
BRANDON KACHEL
MATT CONWAY

Integration Lead
SERGIO VILLEGAS

12월 29일

자꾸만 외부 요인들로 나의 행복이 좌지우지되는 게 심해지는 것 같다. 그러지 않으려고 노력해봐도 타지에 나와 있어 그런지 의지하려는 힘이 더 크다. 나의 말랑말랑한 유리에 금이 참 많이도 갔다.

이번 달엔 기존에 있던 친구들 말고도 더 많은 사람들을 만났던 달이었지만, 동시에 그 수보다 질이 더 중요하다는 걸 몸소 느낀 달이기도 하였다. 내가 보유한 수많은 타인들보다 질 좋은 소수의 관계에서 훨씬, 큰 행복을 느낄 수 있었다.

오랜만에 안부를 묻던 친구에게서 역시나 사람은 사람을 괴롭히고 여전히 사랑은 없다는 말이 나왔다. 시간이 지날수록 기억은 흐릿해지고 남는 건 감정의 형태뿐인가. 무슨 일이 있었는지 자세하게 기억나진 않지만 내가 굉장히 힘들었던 것만 기억나. 벌써부터, 행복했던 여름날로 돌아가고만 싶다.

We all sustain ourselves in different ways

Going - Out Spot Recommendations
in order of my preference

1) Apotheke
2) Troy
3) 230 Fifth Rooftop Bar
4) William Barnacle Tavern
5) Beauty Bar
6) Le Bain
7) Monarch
8) The Delancey

Speak - Easy Bar Recommendations
in order of my preference

1) Please Don't Tell
2) Angel's Share
3) Blind Barber

Movie Theatre Recommendations
* in order of my preference*

1) Nitehawk Prospect Park
2) Alamo Drafthouse Cinema Downtown Brooklyn
3) Film Noir Cinema
4) Williamsburg Cinema
5) Rooftop Cinema Club
6) Cobble Hill Cinemas
7) Regal UA Court Street & RPX

Jazz Club Recommendations
in order of my preference

1) Birdland Jazz Bar
2) Tomi Jazz
3) Smalls
4) Blue Note
5) Mezzrow Jazz Club
6) 55 Bar
7) Village Vanguard

Somewhere - To - Dance Recommendations
in order of my preference

1) Bembe
2) Velvet Brooklyn
3) JJ's Hideaway
4) Bed - Vyne Brew
5) C'mon Everybody
6) House of Yes

Don't - Know - Where - To - Add - But - Please - Go

1) Bar Tabac

1월 12일

추워서 아무리 꽁꽁 싸매고 나가도 오들오들 떠느라 매일 어깨가에 근육통을 달고 지내던 뉴욕 한겨울에, 갑자기 화씨 66도까지 올라가는 날이 왔다. 초가을 혹은 늦여름으로 느껴질 만큼 선선해진 날씨. 전날 블라드Vlad와 늦게까지 노느라 오늘은 집에만 있으려고 했지만 이런 날엔 무조건 나가야 한다. 소미와 여름에 브라이언트 파크에서 먹은 초코 와플을 혼자 다시 찾았다. 대실패. 혼자 먹으니 맛이 없어. 독일에 있는 아현이와 짧게 통화를 하고 가비에게 연락을 했다. 오늘 놀러 나갈 거 다 알아. 오늘같이 날씨 좋은 날, 가비가 얌전히 집에 있을 리가 없었다. 오랜만에 맨해튼 루프탑에 올라가고 싶었다. 그런데 가비는 자꾸 브루클린으로 넘어오라는 말만 했다. 흥, 나 혼자라도 간다. 다른 친구에게 루프탑 추천을 받아, Monarch와 Le Bain엘 갔다. 맨해튼 루프탑에는 강남 클럽에서 틀 법한 노래들이 나온다. 역시 잘못된 생각이었다. 높은 곳에서 서늘한 바람 맞으며 보는 뷰는 좋았지만 딱히 재미는 없었다. 처음으로 혼자 놀러 나와 마커스를 만났던 지난 여름은, 아무리 생각해봐도 운이 참 좋았다고 다시금 깨닫는다.

절대 브루클린을 벗어나지 않을 것 같던 가비가 결국엔 맨해튼으로 와줬다. 간만에 찾아온 여름밤을 그저 그렇게 보낼 뻔했다. 20분 뒤, 르 베인 바로 옆에 있는 Troy에서 보기로. 종종 본 적 있는 가비 친구 존도 함께 왔다. 트로이에는 바텐딩을 하고 있는 그들의 친구가 있어 게스트로 들어갔지만 아니었다면 꽤 오래 줄을 서야 했을 거다. 여태 갔던 루프탑들보다 트로이가 훨씬 더 재밌었다. 뻔한 룸 대신 동굴 같은 벽과 책으로 가득한 공간도 있었고 친구네 집같이 꾸며놓은 공간도 있었다. 나오는 노래들도 좋았고 당구대와 아케이드 게임도 할 수 있었다. 우리는 우선 각 3잔씩 샷으로 시작한 뒤, 마가리타도 각 3잔씩 마셨다. 어떻게 기억을 잃지 않은 건지 신기하다. 그렇게 지성은 정말 재미있게 논 기억과 후회를 가득 안고 일어났다.

다음날인 일요일은 마커스와 인더스트리 시티Industry City에 가기로 한 날이었다. 이렇게 아침부터 확실한 일정이 있을 땐 일어나면서도 활력이 돋는다. 누워있을 수 있는 최대한 늦은 시간까지 누워있다가 일어나 세수를 하고, 화장을 하고, 옷을 입고 출발했다. 브루클린 서쪽에 위치한 인더스트리 시티로.

뭔가 이름만 들었을 땐 고립된 작은 마을이 상상되었지만, 막상 가보니 큰 빌딩 단지의 이름이었다. 날씨는 어제보다 더 화창했고 옷차림도 가벼운 데다가 오랜만에 필름 카메라도 챙겨 나와, 한 발 한 발 내딛는 발걸음마다 기분이 좋아졌다.

일본 마을 컨셉의 구역이 있었다. 단지를 둘러보며 먹고 싶던 일본 음식들을 양손 가득히 골랐다. 바깥에 펼쳐놓고 오손도손, 어제 놀러 간 이야기를 했다. 배가 다 채워지고, 좀 더 구경하러 다른 구역의 건물에도 들어가 봤다. 굉장히 큰 건물이다. 쿠킹 클래스가 진행되는 곳도 있었다. 파스텔 톤의 아이싱 짤주. 우리는 서재같이 꾸며놓은 오픈 라운지를 찾았다. 우리보다 먼저 그곳을 찾은 사람들은 조용히 책을 읽거나 당구를 치며 애저녁부터 평화로운 한때를 보내고 있었다. 햇빛이 챠르르 들어오던 깔끔한 공간, 종이 넘기는 소리와 큐대가 당구공을 치는 소리. 우리는 남색 소파에 기대어 앉았다.

마커스가 사진을 찍고 싶어 하길래 내내 목에 걸고 있던 필름 카메라를 건네주고 딱 두 장 찍을 수 있는 기회를 주며 특별히 모델이 되어주었다. 우리의 금발 친구는 소중하게 얻은 두 장에 기뻐하며 바닥에까지 누워 포즈를 제시했다. 마커스랑 놀고 온 날의 영상을 집에 와 다시 보면 참 재밌고 그렇다. 우리 둘이 웃는 소리가 예쁘다.

서재에는 2층도 있었는데, 제한구역이라고 막혀있었다. 왜 제한구역인가, 하고 올라가 보니 훨씬 더 예쁜 뷰가 아껴져 있었다. 마커스도 따라 올라와 비상계단 fire escape 을 보더니 웃으며, 이거 테라스잖아? 하고 문을 열었다. 지난번에 마실 것 들고 우리 집 fire escape 에 나가 앉아 굉장히 뉴욕스러움을 즐겼던 적이 있다. 아랫층 사는 수퍼바이저가 이건 테라스가 아니라며 잔소리를 하는 탓에 우리의 낭만은 끝이 났지만 그 뒤로 우리는 비상 계단만 보면 테라스라고 부르며 꼭 나가본다.

2층에는 망원경도 있었다. 큰 창 너머를 가리키고 있던 망원경. 아무 생각 없이 들여다본 망원경 속에는 자유의 여신상이 있었다. 눈 바로 앞에 있었다. 뱃멀미를 감당할 자신이 없어 여태 자유의 여신상도 보러 가 본 적 없었는데 이렇게 보게 되다니. 강하게 불어치는 바람 맞을 일 없는, 평화롭고 따뜻한 인더스트리 시티 서재 속 금지구역 망원경으로 본 자유의 여신상.

1월 18일

요즘 너무 추워 되도록이면 외출을 삼간다. 친구들하고 놀 때에도 집에서 집으로만 움직인다. 하지만 덕분에 좋은 점이 있다면, 친구들의 요리 레시피를 차곡차곡 모으는 중. 내가 미국을 떠나기 전에 언제가 한 번은 제대로 된 한국 음식을 만들어 주겠다고 한 적이 있었다. 한국 음식에 한 번 빠지면 헤어 나올 수 없을 거라고 호언장담을 해뒀지만, 생각보다 메뉴 정하기가 쉽지 않다. 마커스가 오기로 한 당일 몇 시간 전까지도.

외국인들이 가장 좋아하는 음식이 불고기라는데 이 친구는 소고기와 돼지고기를 먹지 않는다. 한국 음식에 고기가 들어가지 않는 요리가 있던가? 김밥에 떡볶이? 재료 구하기도, 만들기도 가장 편할 것 같았지만 왠지 김밥은 그저 롤이라고 생각할 것 같아 패스. 엄마가 레시피 북에서 찾아 보내준 닭고기 데리야끼도 쉬워는 보였다. 하지만 일단 데리야끼 소스가 한국 소스가 아니어서 패스. 백종원 선생님의 파 기름을 이용한 치킨 볶음밥도 생각해봤지만, 한국의 맛이라고 소개하기에는 조금 뭐했다. 한국에서 엄마가 만들어 준 제대로 된 집 밥이라는 느낌이 강하게 드는 건 뭐니 뭐니 해도 따뜻한 밥 한 공기와 국물 있는 요리라는 결론에 닿아, 다소 번거롭지만 닭볶음탕으로 결정하였다.

K 타운에 있는 한인마트에 가 장을 봤다. 아무래도 닭은 유기농으로 사야 할 것 같아 홀푸즈에서 사기로 하고, 파와 홍고추, 양파, 고춧가루, 간장과 고추기름을 우선적으로 샀다. 설탕과 마늘은 집에 있다. 닭 요리는 냄새를 잡는 게 중요하다고 해 맛술을 사려고 보니 큰 병밖에 없어 그것도 용감하게 미련을 버렸다. 홀푸즈에 가서는 감자와 닭을 샀는데, 둘 다 닭다리보다는 퍽퍽살파여서 그냥 닭가슴살만 두 팩 샀다. 나중에 엄마에게, 닭을 통째로 샀으면 냄새가 났을 거라며 칭찬을 들었다.

이제 막 재료를 꺼내놨을 뿐인데 마커스가 도착했다. 1시에 점심 먹고서는 잔뜩 기대를 하며 여태 굶었다던 마커스에겐 미안하지만, 감자와 마늘과 양파와 파, 그리고 홍고추를 썰어달라 부탁했다. 한국 음식을 요리하고 있으니 한국 노래가 듣고 싶다고 했다. 나는 옛날 플레이리스트를 찾아

빅뱅과 소녀시대, 원더걸스와 여자친구의 노래를 들려주었다. 간만 맞춰가며 야매로 만든 닭볶음탕에서 그럴싸한 냄새가 났다.

그날 우리는 뭔가 새로운 것 없을까 하고 애플 뮤직을 내려보던 중에 새로운 발견을 하기도 하였다. Marcus King이라는 아티스트를 발견한 것인데, 오잉, 언제 음원까지 냈냐며 너스레를 떨고 노래를 재생했다가 나의 최애곡이 되어버렸다. 컨츄리 싱어처럼 카우보이 모자에 기타 하나 메고 노래를 부르는 마커스 킹은 나와 동갑이었다. 첫 번째 트랙이었던 Young Man's Dream을 들으며 가만히 천장 보고 누워 있었는데, 갑자기 그 순간이 무지막지하게 그리워질 것이 그려졌다. 떠날 날이 성큼 앞으로 다가와 요즘 들어 더더욱 순간순간이 소중하게 느껴지고 이유 없이 슬퍼진다.

마커스 킹의 다른 트랙들도 모두 좋았다. 이 노래는 그리스 해변에서 그냥 여자친구와 남자친구가 아닌, 인생의 동반자를 만나 저녁 먹고 로맨틱한 불빛들 사이에서 느리게 춤 출 때 듣는 노래야. 이 노래는 교회에서 헌금 모으는 남자애가 고개를 들었을 때 눈앞에 있던 아이보리에 분홍색 리본 원피스를 입은 여자애에게 사랑에 빠졌고, 그 헌금을 훔쳐 둘이 데이트하는 곳에 쓰려고 하는 노래야. 생각보다 탄탄한 짜임새의 스토리를 만들었다.

드디어 마커스가 닭볶음탕 첫 입을 떴다. 닭 비린내 난다고 하면 어떡하지. 이게 대체 무슨 맛이냐고 숟가락 내려놓으면 어떡하지. 밥과 닭과 감자를 한 숟가락에 올려 크게 한 입 들이켰다. 한 번, 두 번 씹더니 인상 깊은 듯 눈썹을 스윽 들고는 입꼬리를 올리며 고개를 끄덕끄덕. 맛있다고 했다. 반응이 그게 뭐야, 별로인 것 같은데? 아냐, 진짜 맛있어. 제대로 된 음식을 먹는 것 같아.

더 자세하게 감명을 설명하라고 했다. 매콤하긴 한데 또 그렇게 못 먹을 정도로 매운 건 아니고, 살짝 달기도 하면서 치킨과 감자가 잘 익었단다. 완벽하네? 응, 완벽해. 마커스는 밥을 두 공기나 먹었다. 잘 먹는 걸 보니 안심이 되며 온몸에 긴장이 풀리고 금세 말랑말랑해졌다. 오늘도 미드 타운 헬스 키친의 스튜디오는 따뜻하다. 저쪽 구석, 라디에이터에서 치익 치익 하는 소리를 내며 10시를 알려주는 따뜻한 김.

How To Make Korean Food : Spicy Braised Chicken Stew

* No accurate measurements
Trust your guts.

* Ingredients :
Two packs of Whole Foods Market's chicken breasts, More than two glasses of water, Enough soy sauce and chili oil (because you may end up using a lot), Potatoes, Sweet potatoes, Onions, Green onions, Minced garlic, Chili powder, and Red pepper.

1. Rinse chicken breasts thoroughly for more than 3 min.
2. Add 1. in boiling water until it turns white.
3. Meanwhile, cut potatoes, sweet potatoes, and onions.
4. Make the sauce with green onions, minced garlic, and soy sauce. Add a glass of water.
5. Move the chicken breasts into a new pot, then pour 4. and water.
6. If it starts to boil, add 3.
7. Cover the pot with a lid and let it boil for about 20 min.
8. Add more soy sauce and chili oil if needed, and you probably should.
9. Repeat 8. until it tastes right.
10. Sprinkle chili powder.
11. Wait for another 20 min. Keep the lid on.
12. It's done when the potatoes are mushy.
13. To experience the true Korean savory, sprinkle extra red pepper.
14. Enjoy !

How To Make Korean Food 2
: Potato Pancakes

* No accurate measurements

Trust your guts.

* Ingredients :

Potatoes, Salt and that's it.

1. Peel the potatoes.
2. Grind the potatoes with a grater, then sift it through a sieve.
3. Let it chill for 10 min. until the water and starch are separated.
4. Pour out the water.
5. Mix the starch with ground potatoes and 1ts of salt.
6. Heat up the frying pan with sufficient amount of oil and fry the right amount of ground potatoes.
7. Voilà !

1월 30일

내일 오후 11시 55분 비행기이긴 하지만, 오늘이 뉴욕에서 보내는 마지막 하루 종일이다. 리지와 함께한 3박 4일간의 마이애미에서 돌아와 한국으로 보낼 짐을 택배로 부쳤다. 서울에 있는 소중한 이들에게 마지막으로 쓰는 엽서까지 보내고 나자, 내가 해야 할 일은 타투만이 남아 있었다.

첫 타투를 뉴욕에서 하고 싶단 생각만 벌써 몇 주 전부터 갖고 있었다. 하지만 막상 내 몸에 평생 남을 자국을 만들려니 무엇으로 해야 할지 심하게 고민이 되었고 쉽사리 내릴 수 없던 결정은 결국 마지막 날까지 이어졌다.

도안도 정하지 않은 상태로 무작정 집 앞에 있던 타투 집에 들어갔다. 다행히 뉴욕 내에서 후기가 엄청나게 좋은 곳이었다. 나 오늘 타투 할 거야! 막상 온몸을 타투로 두르고 있는 (온화한 표정의) 타투이스트를 따라 시술대에 앉으려고 하자 아, 나 이거 혼자는 못하겠다 싶었다. 이따 친구를 데려오겠다고 한 뒤 서둘러 나왔다.

한 시간 정도 걸려 마커스가 도착했고, 그새 우리 앞에 먼저 온 사람들이 생겨 기다려야 했다. 바로 하게 되지 않아 다행이라 생각했다. 기다리는 동안 최종적으로 도안을 정했다. 서명을 하고, 돈을 뽑은 뒤, 까만 의자에 등을 기댔다. 두근두근. 두 번 세 번에 걸쳐 위치와 크기를 정하고, 위이잉 기계 소리에 나는 마커스의 손을 꼬옥 잡고 고개를 돌렸다.

엄청나게 아플 준비를 하고 있었는데 2분 만에 끝이 났다. 내가 워낙 엄살이 심한 사람인데도 그렇게 못 참을 고통은 아니었다. 벌이 몇 방 쏘는 느낌 정도. 별거 아니잖아?! 당장 한 군데 더 받고 싶었다. 이 집 잘하는 것 같다면서, 계속 새 타투를 해야지, 해야지 생각만 하고 있었던 마커스도 갑작스레 하게 되었다. 내가 앉았던 까만 의자에 이번엔 마커스가 앉았다.

둘이 같은 날, 함께 타투를 받으면 기억에 남는 추억이 될 것 같아 즉흥적인 결정이었던 만큼 두 배로 신이 났다. 나는 내 손목에 처음으로 그려진 작은 트윙클과, 계속해서 지금 이 상황을 믿을 수 없다던 마커스를 번갈아가며 쳐다보았다. 이미 몸에 타투가 두 개 있던 마커스는, 이번엔 본인에게 의미 있는 날을 로마 숫자로 썼다. 역시나 예쁘게 잘 됐다.

우리는 새로운 타투가 생긴 각자의 왼팔을 모아 사진을 찍었다. 우리 짱 세다! 집까지 괜히 더 위풍당당하게 걷고는 서로를 그려준 뒤 한 장씩 나눠 가졌다. 믿을 수 없어, 믿을 수 없어. 뉴욕에서의 마지막 밤.

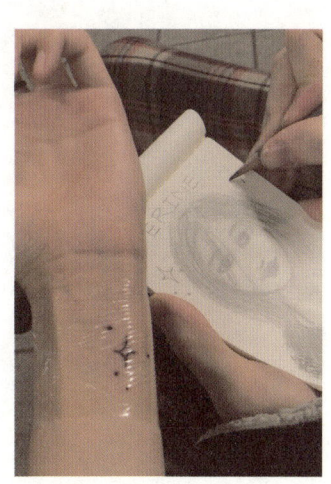

N & E's Miami

* 파란 하늘 아래 초록색의 야자수 나무
* 손과 팔에 묻어있는 모래 알갱이
* 춤과 칵테일
* 초저녁의 치킨
* 노을 지는 시간
* 하루의 끝을 일기로 마무리하는 날
* 날 사랑해 주는 사람의 온기
* 여름밤, 창문을 열어 바깥공기와 내 방의 공기가 하나 되는 순간
* 오래된 레코드 플레이어에서 나는 눅눅한 마찰음
* 우연이 만들어내는 것. 우연하게 만난 인연, 갑작스레 찾게 된 책, 우연하게 찾은 좋은 노래
* 내 인생이 엉망진창인 것 같아도 결국엔 어떻게든 제대로 돌아감을 인지할 때
* 그 안도
* 점심 먹고 소미랑 고순 씨랑 디러렁 누워 자는 낮잠
* 강아지 발바닥 냄새 (우리 띠꺼미)

London
'20, 02

Good community

Well, my friends and I just had a conversation related to this. We talked about the importance of community.

We all have the needs to spend quality time with people who we can trust : a good group of people where you feel belonged.

Marc

좋은 모임

안 그래도, 친구들하고 막 이거에 관련된 얘기를 하고 왔어요. 우리는 좋은 지역사회와 좋은 공동체의 중요성에 대해 이야기했죠.

사람은 그들이 믿을 수 있는 사람들과 좋은 시간을 보내야 해요. 당신에게 소외감을 느끼지 않도록 해주는 좋은 그룹의 사람들과요.

Marc

Being part of somebody's life

Oh, I felt happy just this morning when she asked me to go for a walk here. Since last night, I was craving for the sandwich they sell over there. It was quite a lovely plan for me.

Now we both know what each of us wants, even if our eyes don't meet. Someone might say this is boring, I know, I chased mystery when I was much younger. But now, I think there is nothing else that can make me happier. There's this thing coming from a stable love.

Maybe we lived together too long. Haha.

Stephen & Gill

다른이의 일상의
일부가 되는 것

딱 오늘 아침, 아내가 여기로 산책 나가지 않겠냐고 물었을 때 저는 행복했어요. 마침 어젯밤부터, 저는 저기서 파는 이 샌드위치가 먹고 싶었거든요.

이제 우리는 서로 눈도 마주치지 않아도 뭘 하고 싶어 하는지 알 수 있어요. 어떤 사람은 이런 게 지루하다 말할지도 모르죠. 알아요, 저도 한참 어릴 때는 그런 미스테리함만을 좇았으니까요. 그렇지만 이제는 안정적인 사랑만한 게 없는 것 같아요. 그것에게서만 느낄 수 있는 무언가가 있거든요.

어쩌면 우리 너무 오래 같이 살았나 봐요.

Stephen & Gill

When I'm making plans

The more you get older, the more precious it is to talk with others. Connection is really important. Though, it is not easy to see your friends or even family members every single day these days. Everybody's busy.

I'm living with my daughter who goes to work everyday, so I'm alone during the daytime. I've decided to think I've got a lot of free time, rather than thinking that I'm a useless person.

Every night, I make plans for the next day and I feel very productive! Whenever you feel gloomy, just wake up and plan your day, week, month, or even a year. It will help a lot.

Jane

계획을 세울 때

나이가 들면 들수록 다른 사람들하고 말하는 게 참 소중해요. 인간관계라는 게 중요하죠. 그런데 요즘엔 친구들이라던가, 심지어 식구들마저 매일매일 본다는 게 쉽지 않아요. 모두가 바쁘거든요.

딸하고 같이 살고 있는데 그 아이가 일을 가면 낮 동안 저는 혼자에요. 그런데 저는 제 스스로를 무능력한 사람이라고 생각하는 대신 하루 절반 동안의 자유시간을 얻었다고 생각하기로 했어요.

매일 밤, 다음날 뭐 할지 계획을 정하면서 스스로 굉장히 생산적인 사람이라는 기분이 들어요! 좀 우울할 때, 그냥 일단 일어나서 계획을 세워보세요. 하루가 되어도 좋고, 일주일, 한 달 혹은 일년 치 계획도 좋아요. 분명히 효과 있을거예요.

Jane

What makes you happy?

My dad's got a super power.	우리 아빠 초능력 있어요.
This is a secret.	이거 비밀이에요.
Liam	Liam

What makes you happy?

Electric Cinema

* Old cinema with red sofas, screening mainstream and art house films, plus bar and food.

* 191 Portobello Rd, Notting Hill, London W11 2ED, United Kingdom

* +44 20 7908 9696

* electriccinema.co.uk

숙소 근처 뭐가 있을까 지도를 살펴보다 발견한 아주 로맨틱한 영화관. 상영관은 한 개뿐으로 정확히 10분 전에 문을 연다. 처음 들어가면, 스크린은 빨간색 벨벳 커튼으로 가려져 있다.

예매는 적어도 3-4일 전에 하는 것이 좋다. 첫째 줄에 있는 2인용 소파는 다리를 쭉 펼 수 있다는 장점이 있지만, 개인적으로는 천 커버를 신뢰할 수 없어 뒤쪽에 있는 가죽 소파로 예매했다.

안에는 바가 있다. 영화 시작 전 줄을 서, 음료부터 감자튀김이나 피자 같은 간단한 간식거리와 조각케이크를 품에 끼고 영화를 볼 수 있다. 뉴욕에 있는 다이닝 시네마*들만큼 배를 채울 수 있는 정도의 끼니 메뉴는 없다. 하지만, 그 덕에 상영 도중에도 돌아다니는 웨이터가 없어 집중은 훨씬 더 잘 되는 편.

영국에 있는 영화관이니 한국어 자막은 물론, 영어 자막도 없다. 관광객들이 찾아오는 곳이라기보다는, 동네 사람들을 위한 작은 영화관이라는 느낌이 강하다. 이 책을 보고, 노팅힐에 묵으며 잔잔하게 영화와 분위기를 즐기고 오실 분들을 위한 곳 ♡

* pg 211 영화관 추천 참고

Seoul

입맛에 딱 맞는 음식을 먹는 것, 평생 듣고 싶은 음악을 만나는 것, 어떠한 영화와 사랑에 빠지는 것, 음악 작업이 수월하게 진행되거나 노래가 너무 잘 될 때 (실제 기쁨의 눈물까지 흘린 적도 있다), 비 오는 날 방에서 커튼을 열어놓은 채로 따뜻한 커피를 마시며 밀린 드라마를 챙겨 보는 것, 날씨 좋은 오후 한산한 공원의 풀밭에서 뒹구는 것, 가족들과 안정되고 편안한 식사를 하는 것 등등 …

내가 나의 우울에서 도망치는 루틴은 매번 비슷해. 일단 하루 종일 누워 있는 거야. 울고 싶은 만큼 울고, 뇌에 다른 자극을 주기 위해 온갖 드라마나 영화를 보며 정신을 다른 곳으로 돌려놔. 친구들에게 전화해서 하소연하고선 또 울어. 그러고 나면 신기하게도 쏟아낼 눈물이 조금씩 줄어들더라. 나의 우울은 시간에 맡겨지는 것과 비슷해.

우는 것은 우울을 피하는 아주 좋은 방법이야. 다행히 누구나, 언제든 실컷 할 수 있는 것이지. 울면서 감정을 배출해내는 것은 원초적이면서, 시각적으로도 중요한 정화작용을 하는 것 같아.

실컷 울고 나면 후련하잖아. 아이러니하지만 울음은, 우리를 우울에서 행복의 궤도로 돌려놓는 첫걸음이라고 볼 수 있겠다.

사실 이 모든 힘듦과 우울, 권태, 그리고 분노 등의 부정적인 감정들은 모두 내 안에서 나로 인해 이루어지고 있는 거잖아. 외부에서 어떤 타격을 받았던, 그 감정들은 내 안에서 발생하며 내가 만들고 있는 것이었어. 그것들을 피하는 게 아니라, 그러한 감정들이 피어남을 마주 보고 내 상태를 인지하는 것. 얼마 전에 새롭게 알게 된 거야.

이 모든 걸 누릴 수 있다는 것 자체로도 참 행복한 우리다.

령은

Cure Yourself

단위가 하루건 더 전이건,
이전보다 나아지거나 발전된 나
자신을 느낄 수 있는 순간이 날
행복하게 해.

우울할 때에는 밝아지려고
애쓰는 것보다, 반대로 핸드폰도
좀 멀리하고 노래도 블루한 걸로
골라 듣곤 해. 하루 이틀 정도는
아예 우울한 그 상태 그대로
있다가, 어느 정도 감정들이
가라앉고 나면 혼자 산책하며
털어버리는 거야.

아예 나를 딥한 저곳까지
던져버렸다가 요동치던
마음이 잔잔해지면 그때 새
마음가짐으로 시작하면 돼.

명광

Cure Yourself

나를 행복하게 만드는 건 기억이야. 마음가짐? 눈에 보이는 건 아니라서 자주 잊어버리기 쉽지만, 한 번 기억해내면 언제든지 행복해질 수 있어. 내가 균형을 잃고 넘어졌을 때 같이 멈춰 기다려주고, 웃어주고, 손잡아 일으켜 주는 소중한 사람들이 있다는 걸 깨닫고, 그들과 함께할 때 가장 행복한 것 같아.

반대로, 그걸 잊고 지낼 때 불행하고 외로워. 그때는 가장 행복한 순간을 기억해내려고 노력해야 해. 그럼 다시 살아갈 수 있게 되는 것 같아. 나에겐 나를 지켜주고, 또 내가 지켜야 하는 소중한 사람들이 있으니까.

나는 항상 뭐든 깊게 생각하는 면이 있어서, 내가 좀 우울한 사람이라고 생각하면서 지내왔거든. 그런데 이제는 아니야. 난 우울한 사람이 아니라, 그냥 '그런 때가 있는 사람' 인 거야. 그걸 인지하고 있는 순간에는 우울한 만큼 행복한 일도 찾아와주더라.

우울함은 전염되기 쉬운 감정이라, 우울한 모습의 나일 때는 사람을 찾지 않고 나를 찾아 시간을 가져야 해. 돌봐주고 다독여주고 위로해줘. 그리고 행복할 때 내가 사랑하는 사람들을 찾아가는 거야.

이렇게 좋은 일 있으면 힘든 일도 있고, 행복한 순간이 있으면 불행한 순간도 찾아온다는 걸 인정하기로 했어. 이제 난, 그냥 그 순간을 즐겨. 행복한 나도, 우울한 나도 그 모습 그대로 내가 사랑해 줄 거야.

시우

Cure Yourself

친구들, 루비, 가족, 남자친구
등등 … 날 행복하게 만드는
외부요인들은 많지만 관계에서
느낄 수 있는 행복을 제외하고
생각해보면, 날씨와 자연에서 볼
수 있는 풍경들이 나를 행복하게
해주는 것 같아.

나는 살랑살랑 부는 바람에
바다가 깨어지는 모습을, 비가
올 때 창살에 부딪혀 톡톡하고
두들겨지는 소리를, 겨울에
아무도 밟지 않은 눈을 처음으로
밟을 때의 그 느낌을 사랑해.

혜림

Cure Yourself

저는 의식적으로 행복을 쫓으려는 편은 아니에요. 오히려 행복에 대한 강박에서 벗어나야 비로소 그것에 가까워지는 사람이죠.

일상 속에 수많은 행복을 마주하며 살아도, 우리 삶에는 어김없이 우울하고 힘든 순간들이 찾아오잖아요. 그날의 기분과 상황에 따라 저를 행복하게 만드는 것이 달라요. 오늘은, 할 일을 다 마친 뒤 샤워를 하고 영화 <카모메 식당>을 봤어요. 소소한 일상을 담은 영화인데, 이미 보고 들은 장면의 대사와 음악까지도 참 새롭게 들리더라고요. 이러한 생각의 변화와 그것을 정리하는 시간은 우리를 우울로부터 회복시키는 데에 꼭 필요한 것이에요.

어쩌면 행복이란 것은 그토록 갈망하던 꿈이 이루어지거나, 삶이 윤택해져 원하는 것을 모두 살 수 있게 되는 것일 수도 있고, 하고 싶은 일을 하는 게 멋져 보인다는 말에 그저 하기 싫은 걸 안 할 뿐이라던 카모메 식당 주인공의 대답과 같은 것일 수도 있겠어요. 하지만 찰나의 순간, 일시적으로 증발해버리는 감정이기 때문에 언젠가는 공허함이 밀려 들어올 수밖에 없죠.

새로운 것을 배울 때, 맛있는 음식을 먹을 때, 좋은 향을 맡을 때, 걱정했던 일이 별것 아님을 깨달을 때, 플레이리스트 속에 넣어둔 음악을 꺼내 들을 때, 사랑하는 사람들과 대화를 나눌 때, 집안 일과 같은 사소한 성취들로 아침을 시작할 때.

지금 내가 당장 할 수 있는 것들로 꾸준하게 채워 나가다 보면 돼요. 결국엔, 본인의 삶을 바라보는 태도가 어떠한가에 따라 행복의 정도와 빈도가 결정되니까요.

종형

사랑. 세상엔 많은 종류의 사랑이 존재하지. 나는 몇 번이고 인형을 던지라 물어오는 우리 콩이도, 그 어떤 일이 생겨도 언제나 내 편이라는 엄마 아빠도 사랑해.

항상 누군가가 내 옆에 있어야만 하는 것은 아니지만 가족이 아닌 다른 누군가, 내가 의지할 수 있는 사람이 있다는 건 참 행복한 일이야. 나를 온전히 믿어주고 응원해 주는 사람. 인생의 모든 고민과 불안이 말끔하게 사라질 수는 없겠어도, 독립적이고 칙칙하던 나의 일상이 그 사람의 존재로 인해 어느새 화사해짐을 느껴. 더 많이 기대고 더 많이 웃게 돼. 아침에 눈을 뜨는 시작부터 달라지게 되고, 아주 사소한 일로도 하루가 참 소중해지지. 사랑 없이 어떻게 사아랑 ~

Cure Yourself

소미

2월 10일

확실히 집에 오니 좋구나 -

내가 더 이상 뉴욕이 아닌 서울에 있다는 사실은 인정하기 싫어도 내가 살던 집, 내가 꾸민 내 방에 누워 있으니 마음이 몸이 투욱 떨어진다. 안락하게. 안정적으로.

크고 깨끗한 공항 바닥에 쉽고 부드럽게 캐리어가 밀리는 것부터, 모든 것이 친절하고 자세하게 안내되어 있는 한글 표지판까지 모두 어색하게만 느껴진다.

한 해 한 해 입버릇처럼 하는 말이지만 시간은 정말 빠르다. 때마다 내 곁에 있어주는 소중한 이들에게 참 많은 것이 고맙다. 많은 것을 주며 많은 것을 받고, 그 시절을 기억할 수 있도록 해주는 나의 사람들.

라텍스 장갑까지 끼고 날 마중나와 있던 엄마와 19년지기 명광이. 우리는 주차되어 있던 차에 몸을 싣고 엠파이어 스테이트 빌딩 대신 N 서울 타워와 잠실 타워를 하나씩 지나다 보니 어느새 집에 도착했다. 7개월 만에 돌아온 우리 집에는 아빠와 고순 씨가 기다리고 있었고, 식탁엔 내가 그렇게 먹고 싶어 하던 떡볶이와 미역국과 김밥이 차려져 있었다. 령은이도 교회 예배가 끝난 뒤 넘어와, 함께 떡볶이와 미역국과 김밥과 불고기를 먹었다.

친구들이 돌아간 뒤에는 혼자서 방바닥에 드러누웠다. 나무 바닥 두껍게 덮인 카펫 대신, 모든 것이 잘 마감되어 있는 깨끗하고 믿음직스러운 하아얀 바닥. 아무래도 짐을 풀고 자야 마음이 편할 것 같아 피곤한 눈을 부릅 뜨고 꾸역꾸역 정리를 시작했다. 빨래는 세탁실에, 신발은 신발장에. 7개월분의 기념품들은 열 맞춰 책상에 줄을 세운 뒤 마무리로 청소기까지 돌렸더니, 내 몸과 마음을 후두둑 내려놓을 곳이 그제서야 완성되었다. 이부자리를 마저 정리하고, 방 불을 끈 뒤 침대에 누웠다.

독립된 나만의 공간에서 느끼는 안정감.

2월 12일

뭔가 확실하게 집중할 수 있는 것을 직업으로든, 하다못해 취미로든 삼아야 한다. 연기를 할 때 집중하던 그 에너지를 일상생활에 쓰지 못하니 어딘가에 병이 나는 것 같다. 흐지부지, 매일을 흐물흐물 사는 것 같이.

2월 16일

거의 하루 종일 운전을 했다. 집에 돌아와 따뜻한 물로 목욕을 마친 뒤 그대로 기절해버렸다. 오늘은 정말 깨지 말고 자고 싶다 생각했지만 역시나 깨버렸고, 왜였는지 갑자기 밀려오는 슬픈 기운에 엉엉 울어버렸다. 그렇게 시원하게 눈물이 밀려나오는 건 뉴욕을 떠난 이래로 처음이었다. 비행기 안에서 우는 건 아무래도 주책맞아 보일 것 같아 흘러나오던 눈물을 꾸역꾸역 참아야만 했고, 집에 와 뉴욕에서 있던 일들을 이야기하다 이번엔 정말 울어버릴 것 같던 때에도 예쁘게 차오른 분위기를 망치고 싶지 않아 눈을 파르르 떨며 가라앉혀야 했다.

한 번도, 살면서 내 인생의 특정 순간을 그렇게 감사하며 산 적이 없던 것 같은데.

뉴욕에 있는 동안은 그렇게 살았다. 사소한 것에도 감사해야 할 일들이 자연스럽게 찾아왔고 다시는 돌아오지 않을 시간이라는 것을 항상 인지하며 지냈다. 다시 서울에 돌아와 나태가 가득한 삶을 보내며 그렇게 하루하루 치열하게 지내지 않아도 된다는 것에 안도가 되면서도, 다시는 돌아오지 않을 그 여름이 너무도 그립고 슬퍼져, 그래서 울었다.

일요일 낮 브런치 먹으러 나가는 길에 어리바리 방향을 잘못 타서는 1시간씩이나 뉴욕 지하 속에 갇혀 있어야 했던 일도, 별것 아닌 작은 일로 별것 아닌 작은 친절을 베푸는 사람들에 크게 기뻐하던 일, 누군가와 인연이 되어 서로를 알아갈 때 반짝이던 그 눈동자, 계산하지 않고 조마조마하지 않던 관계의 첫 시작까지, 모두 다.

2월 17일

그래도 울고 싶을 때 울고, 전화 걸고 싶을 때 전화 걸고, 울며 전화 걸고 싶을 때 울며 전화 걸 사람이 있어 다행이다.

What Makes You Happy?

*

*

*

How Do You Cure Yourself?

We all sustain ourselves in different ways

*

*

*

Giving attention to the little things that we are completely forgetting about, but given equally.

The key to happiness is not necessarily the same for everyone. This book does not include any secret recipes for success or special life advice.

We All Sustain Ourselves in Different Ways
우리를 살게하는 저마다의 방법

초판 1쇄 | 2020년 7월 31일
초판 3쇄 | 2021년 12월 31일

지은이　　　　함지성 (@eri2ne)
편집 및 디자인　함지성, 김종형 (@jonxhyunx)
영문 교정　　　구본하

펴낸 곳 | 페-퍼 프로덕션
전자우편 | pe.per.production@gmail.com
홈페이지 | pe-per.com

ISBN | 979-11-976971-0-1 (03600)

(경고) 이 책의 모든 글과 사진의 저작권은 저에게 있습니다.
소중한 가족과 강아지와 친구들입니다. 소중한 기록이니만큼 소중하게 다뤄주세요. 어길 시 뭠.